REALIEN ZUR LITERATUR
ABT. D:
LITERATURGESCHICHTE

Ferdinand Schöningh · 44 Münster i. Westf.

Buchhandlung und Modernes Antiquariat · Salzstraße 61 · Postfach 7269

Büchersendung/Päckchen

Printed paper at special reduced rate

University of Maryland
Dept. of Germanic Lang.
College of Arts ...

College Park / Maryland 20742/USA
===============================

Standing Order

HERMANN H. WETZEL

Die romanische Novelle
bis Cervantes

MCMLXXVII
J. B. METZLERSCHE VERLAGSBUCHHANDLUNG
STUTTGART

CIP-Kurztitelaufnahme der Deutschen Bibliothek

Wetzel, Hermann Hubert
Die romanische Novelle bis Cervantes. – 1. Aufl.
– Stuttgart: Metzler, 1977.
   (Sammlung Metzler; M 162: Abt. D, Literaturgeschichte)
   ISBN 3-476-10162-2

ISBN 3 476 10162 2

M 162

© J. B. Metzlersche Verlagsbuchhandlung und Carl Ernst Poeschel Verlag GmbH
in Stuttgart 1977 · Druck: Gulde-Druck, Tübingen
Printed in Germany

INHALT

Wie die gesamte Reihe informiert der vorliegende Beitrag zunächst einmal über ein Sachgebiet, d. h. er gibt einen Überblick über den Bestand und die Charakteristik der romanischen Novellen bis Cervantes, die Text-Ausgaben und die dazu existierende Sekundärliteratur. In dieser Hinsicht gilt es, die vorhandenen neueren Veröffentlichungen (B. v. Wiese, 1963, ⁶1975; J. Kunz, 1968, ²1973; W. Krömer, 1973; W. Eitel, 1977) gezielt zu ergänzen, da sie, wie die entsprechenden älteren — und daher in den bibliographischen Angaben notwendig überholten — Werke, teils andere Zeiträume abdecken, teils auf wenige große und bekannte Novellenautoren beschränkt sind.

Gegenüber einer möglichst vollzähligen Auflistung von Forschungsgesichtspunkten zu einzelnen Autoren, die außerhalb einer Monographie bei den berühmtesten ohnehin nur Stückwerk bleiben kann, wurde dem Bemühen der Vorzug gegeben, das überaus breite Spektrum novellistischer Literatur so weit wie möglich zu entfalten und den Zugang zu seither aus gattungsnormativen Gründen vernachlässigten Autoren zu eröffnen. Damit ist eine Vorentscheidung zugunsten eines weitgefaßten Novellenbegriffs gefallen, wie ihn die neuere Novellenforschung nach einigen Irrungen erst wiederentdecken mußte. Novellistik ist demnach ein Sammelbegriff für Erzählungen sehr unterschiedlicher Länge zwischen Exemplum und Essai bzw. Roman, um nur die drei wichtigsten Grenzsteine des Gattungssystems zu nennen, die gleichzeitig auch den historischen Rahmen des berücksichtigten Textkorpus markieren. Der Schwerpunkt der Untersuchungen liegt *innerhalb* des so abgesteckten Bereichs und berücksichtigt die schon vielfach gründlich erforschten (besonders von H.-J. Neuschäfer, 1969) sogenannten ›Vorformen‹ der Novelle und ihre zum Roman hin tendierenden ›Nachfahren‹ im 17. Jh. nur so weit, wie es für den systematischen Zusammenhang notwendig und sinnvoll ist.

Aus der Fülle des Materials ergibt sich das Hauptanliegen der vorliegenden Arbeit: um nicht lediglich eine Art kommentierter Bibliographie zu erstellen bzw. in ihrer Kürze notwendig nichtssagende und lückenhafte Lexikonartikel aneinanderzureihen, ist es notwendig, die großen Linien der Gattungsentwicklung in einen systematischen und gleichzeitig historischen Zusammenhang zu bringen. Dies kann nur durch die Beschränkung auf wenige zentrale Merkmale erreicht werden, die es erlaubt zu zeigen, wie die Novellenform in ihrem Entstehen und in ihren Veränderungen von literarischen und spezifischen historischen und sozialen Voraussetzungen abhängt.

Die Erörterung der Werke unter systematischen Gesichtspunkten bringt den ›Nachteil‹ mit sich, daß die verschiedenen Aspekte eines Werkes an verschiedenen Stellen im Gang der Überlegungen auftauchen. Zur umfassenderen Information zu einem bestimmten Autor oder Titel verweisen wir daher auf das ausführliche Register.

Mannheim, im Frühjahr 1977

1. Forschungsbericht

Die Forschungen zur romanischen Novelle spiegeln getreu die allgemeine Geschichte der Literaturwissenschaft der letzten hundert bis hundertundfünfzig Jahre wider. Es lassen sich grosso modo drei größere Etappen unterscheiden, die einer Verlagerung der Forschungsinteressen entsprechen: (1) Edition und Quellenforschung; (2) Nationalgeschichtliche und normative Theorie der Gattung (3) Strukturentwicklung und -vergleich; Narratologie — Ideologiekritik. Da zu den beiden ersten, zumindest was die deutsche Romanistik betrifft, bereits ein ausführlicher Forschungsbericht (W. Pabst, 1949) vorliegt, kann ich mich darauf beschränken, die wichtigsten Linien nachzuzeichnen und die ausländischen Forschungen zu ergänzen. Unser Interesse gilt jedoch vornehmlich den neueren Forschungsrichtungen.

1.1. Edition und Quellenforschung

Wie in anderen Bereichen der Literaturwissenschaft ist auch im Bereich der Novellistik die zweite Hälfte des 19. Jh.s die Zeit der Editionen. Bekannte wie seit ihrem erstmaligen Erscheinen vergessene Novellensammlungen wurden neu herausgegeben und kommentiert, zahlreiche unpublizierte Manuskripte erstmalig veröffentlicht, allerdings teils aus Prüderie (G. Sercambi, Novelle, ed. R. Renier, 1899), teils aus beschränktem Interesse (die sog. »Nouvelles de Sens«, ed. E. Langlois, 1908; Nicolas de Troyes, ed. E. Mabille, 1866, 1869) oft nur in Auszügen. So erschienen etwa in der ›Bibliothèque Elzévirienne‹, oder der ›Scelta di curiosità letterarie‹ Titel, die bis heute in keiner besseren Ausgabe vorliegen. Editionsreihen oder Anthologien, die (mit Ausnahme der span. Titel) allein der Novelle vorbehalten waren (Raccolta di novellieri italiani, 1791 ff., 1832 ff., 1853; Les vieux conteurs français, 1841; Collección selecta de antiguas novelas españolas, 1906/09; Novelistas anteriores a Cervantes, 1963) sind meist auf bekannte Autoren beschränkt. Die einzige neuere Ausgabe französischer Novellen (P. Jourda, Hg. 1965) wiederholt bekannte Werke, und wenn sie weniger leicht zugängliche Autoren aufnimmt, dann nur willkürlich gekürzt. Auf dem Gebiet der Edition bleibt folglich für die Forschung noch einiges zu tun. Daß diese Aufgabe erkannt wurde, beweisen zahlreiche neueste kritische Ausgaben

von seither nur bruchstückhaft bekannten Autoren wie z. B.
Sercambi (ed. G. Sinicropi, 1972), Philippe de Vigneulles (ed.
Ch. Livingston, 1972) und Nicolas de Troyes (ed. K. Kasprzyk, 1970), besonders aber die von E. Malato als Herausgeber
seit 1971 in Angriff genommene gigantische vollständige und
kritische Ausgabe der »Novellieri italiani«, die auf über hundert Bände geplant ist. Bei dem seitherigen Veröffentlichungstempo wird man sich allerdings noch einige Zeit mit den umfangreichen Anthologien von A. Borlenghi (Hg. 1962, 1966),
M. Guglielminetti (Hg. 1972), S. Lo Nigro (Hg. 1968), G. Salinari (Hg. 1955) u. a. begnügen müssen.

›Vollständig‹ heißt allerdings nur, daß die *Originalwerke*
vollständig aufgenommen werden sollen, nicht aber die zahlreichen *Kompilationen* von Novellen verschiedener Autoren, die
vor allem im 16. Jh. in großer Zahl in Italien, Frankreich und
Spanien auf den novellengierigen Buchmarkt gebracht wurden.
Die Übergänge zwischen Originalwerk und Kompilation sind
fließend zu einer Zeit, als der Begriff des geistigen Eigentums
und der Originalität erst aufkam und die mündliche, allen Autoren gleichermaßen zugängliche Tradition eine große Rolle
spielte. So treten etwa bei Nicolas de Troyes neben ein Viertel
vermutlich eigener Verarbeitungen oraler Traditionen drei Viertel freimütig eingestandener wörtlicher Übernahmen aus der
ihm zugänglichen Literatur (»Decameron«, »Cent Nouvelles
nouvelles« u. a.).

Ebenso interessant für die Rezeptionsforschung, aber bis auf
wenige Ausnahmen gerade so schlecht zugänglich sind *Bearbeitungen* von Werken (z. B. der »Cent Nouvelles nouvelles«
durch La Motte Roullant, 1549), bearbeitende Übersetzungen
(von Bandello durch Boaistuau und Belleforest 1559 ff, und
deren Übertragung ins Spanische, 1589), sowie überhaupt die
zahlreichen *Übersetzungen* in erster Linie aus dem Italienischen
ins Französische (E. Picot, 1906/7) und Spanische (M.
Menéndez y Pelayo, II, 1907). Diese Texte sind größtenteils
nur in den Originalausgaben über viele Bibliotheken verstreut
greifbar. Über die Existenz dieser ›sekundären‹ Novellistik
und der Originalwerke informieren die Spezialbibliographien
(G. Passano, 1868 und ²1878; W. F. J. De Jongh, 1944; B. Woledge, 1954 und 1974).

Hand in Hand mit dem Aufspüren und der Herausgabe der
Novellentexte entwickelte sich, meist in Form von Vorworten
und Anmerkungen, die Forschung, die sich zunächst auf die
Biographie des oft völlig unbekannten Autors richtete und auf

das *Werk als Zeitdokument,* als authentische Wiedergabe zeitgenössischer Ereignisse, nicht zuletzt um auf diese Weise Anhaltspunkte für die Datierung zu gewinnen.

In besonderem Maße allerdings stießen die von den Autoren verwendeten *Erzählstoffe,* ihre *Quellen,* Vorbilder und Nachahmer auf Interesse. Auf diesem Gebiet hängt die Novellenforschung eng mit der seit der Romantik aufblühenden internationalen folkloristischen Erzählforschung zusammen, da die Novellenstoffe weitgehend aus der mündlichen und schriftlichen Tradition des europäischen und asiatischen Erzählguts stammen oder zumindest dort Parallelen finden. Eine wichtige Vermittlerrolle für asiatische Stoffe spielen die arabischen, griechischen und lateinischen Zwischenstufen der schon früh in romanische Sprachen übersetzten Werke. Dieser Bereich der Forschung war außerordentlich fruchtbar, wenn die Ergebnisse auch oft nur in der Aufzählung unzusammenhängender Varianten oder gar nur entfernter Ähnlichkeiten des Stoffes bestanden. Hierher gehören die großen Quellenuntersuchungen zu Boccaccios »Decameron« von M. Landau ([2]1884) und A. C. Lee (1909), ›Vergleichende Anmerkungen‹ zu den verschiedensten Werken mit traditionellen Erzählstoffen von F. Liebrecht, R. Köhler, A. Wesselski und Bolte/Polívka in Deutschland, P. Rajna, G. Rua, A. D'Ancona und P. Toldo in Italien, G. Paris und J. Bédier in Frankreich, um nur einige der wichtigsten Vertreter dieser Forschungsrichtung zu nennen.

Gleichzeitig begann man mit dem Sammeln von Legenden, Märchen und Schwanken, von denen vor allem die letzteren zahlreiche Novellenstoffe bergen. Die heutige Quellenforschung zur Novelle kann sich auf ein äußerst vielfältiges internationales Material stützen, das durch so wertvolle Arbeitsinstrumente wie den Typen-Index von A. Aarne und S. Thompson ([2]1961), den Motif-Index von S. Thompson ([2]1955/58), den ›Index Exemplorum‹ von F. C. Tubach und die von K. Ranke (1975 ff) herausgegebene ›Enzyklopädie des Märchens‹, sowie verschiedene nationale und werkbezogene Typen-Indices von D. P. Rotunda (1942), G. D'Aronco (1953) zur italienischen, P. Delarue/M.-L. Tenèze (1957 ff) zur französischen und R. S. Boggs (1930), J. W. Childers (1948); J. E. Keller (1949) zur spanischen (volkstümlichen) Literatur erschlossen wird.

Die internationale Motivforschung verkümmerte im Zeitalter des erstarkenden Nationalismus leider oft zu einem kleinlichen Vorrechnen ausländischer ›Einflüsse‹, was wiederum den nationalen Stolz der Gegenseite herausforderte. Bestes Beispiel dafür ist der Gelehrtenstreit zwischen P. Toldo (1895) und G. Paris (1895) über den Einfluß der italienischen Novelle auf die französische. Toldo vermutet auch noch bei entferntester Ähnlichkeit italienische Vorlagen, während G. Paris mit einigem Recht – zumindest was die Stoffe betrifft – bodenständige schriftliche, aber vor allem mündliche Tradition annimmt.

Die Gefahr, sich in völlig unverbindlichen, fast beliebig zu vermehrenden Aufzählungen von Parallelen und Analogien zu erschöpfen und dabei die Eigenart des untersuchten Werks aus den Augen zu verlieren, besteht auch heute noch für die Quellenforschung (J. W. Hassell, 1957 und 1969, zu Des Périers). Andererseits kann sie aber auch das notwendige Material zur Bestimmung der Eigenart des Autors (K. Kasprzyk, 1963; L. Sozzi, 1964) liefern, die sich an der spezifischen Formung des Stoffes im Vergleich mit anderen Fassungen besonders augenscheinlich ablesen läßt.

Im Zusammenhang mit der unter 1.3. zu besprechenden neueren gattungsgeschichtlichen (U. Klöne, 1961; H.-J. Neuschäfer, 1969; H. H. Wetzel, 1974) und der sich an V. Propp (1970) anschließenden strukturalistischen (T. Todorov, 1969; C. Segre, 1971 a; A. Baudoux-Spinette, 1976) Forschung erschließt sich den motivvergleichenden Studien ein neues, fruchtbares Feld.

1.2. Nationalgeschichtliche und normative Theorie der Gattung

Die zweite Phase der Forschung zur Novelle ist gekennzeichnet durch eine weitgehende Beschränkung auf Nationalliteraturen im Gegensatz zur internationalen motivgeschichtlichen Ausrichtung der ersten Phase. Unbefriedigt vom bloßen Sammeln von Quellen und Beschreiben von Stoff-Parallelen und wohl auch im Bemühen, es im Klassifizieren den Naturwissenschaften gleichzutun, machte sich die Forschung auf die Suche nach den normativen Merkmalen der Gattung ›Novelle‹ oder versuchte wenigstens eine kontinuierliche und organische Entwicklung innerhalb einer Nationalliteratur aufzuzeigen.

Die große Vielfalt der italienischen Novellistik bewahrte den der Quellenforschung verpflichteten L. Di Francia (1924/25) davor, die Geschichte der italienischen Novellistik unter allzu engen gattungsnormativen Gesichtspunkten zu sehen. Sein Werk bietet eine umfassende und auch heute noch unentbehrliche Bestandsaufnahme der italienischen Novellistik. Der Einfluß B. Croces und dessen Abneigung gegen den Begriff der literarischen Gattung sorgten dafür, daß sich in Italien die Forschung kaum für das Gattungssystem, vielmehr für einzelne Autoren und Werke und deren spezifische Qualitäten interessierte, selbst wenn es sich um eine Übersicht über die nationale (B. Porcelli, 1969) oder gar die abendländische (A. Asor-Rosa, 1960) Novellentradition handelt.

Die spanische Forschung wird ›überschattet‹ von der alles überragenden Gestalt des Cervantes, der in den Augen seiner patriotischen Erforscher die Novellistik auf einsamer Höhe beherrscht. M. Menéndez y Pelayo (1905/15) hat das Verdienst eine, soweit zu seiner Zeit möglich, komplette Übersicht über die ›Origines de la Novela‹ zusammengestellt zu haben, doch zeigt sich auch bei ihm die bei A. G. de Amezúa y Mayo (1956/58) noch verstärkt zu beobachtende Tendenz, die spanische Genialität eines Cervantes nicht durch ausländische ›Einflüsse‹ mindern zu lassen. Andererseits weitet sich durch die enge Bindung der spanischen Novellenforschung an Cervantes und die sich schon in der Bedeutung von spanisch ›novela‹ spiegelnde enge Verwandtschaft zwischen Novelle und Roman (W. Krauss, 1940) den Blick zumindest für die benachbarte Gattung des Romans. Einen sehr knappen und gedrängten Überblick über die spanische Novellistik bietet in Anlehnung an Menéndez y Pelayo E. B. Place (1926). Die Untersuchung von C. B. Bourland (1927) streift dagegen die Vorläufer des Cervantes nur kurz, um sich ausführlich seinen Nachfolgern zuzuwenden.

Auch die Forschung zur französischen Novelle wird von dieser nationalen und normativen Phase geprägt. Sie ging zwar in der Normierung nicht so weit wie die Germanistik und postulierte eine »Urform der Novelle« (dazu W. Pabst, 1949), doch fühlte sie sich seit dem stoffgeschichtlichen Gelehrtenstreit zwischen P. Toldo und G. Paris verpflichtet, die Unabhängigkeit vom italienischen Vorbild nicht nur auf dem Gebiet der Stoffe, sondern auch auf dem der Form nachzuweisen.

Die internationalen Verknüpfungen durch das alle Novellentraditionen prägende »Decameron« ließen sich selbst vom beschränkten nationalen Standpunkt aus zwar nicht leugnen, doch wurden sie dadurch minimalisiert, daß etwa W. Söderhjelm (1910) als Muster der französischen Novelle und als ihre allgemeine Gattungsnorm die »Cent Nouvelles nouvelles« wählte (vgl. auch J. M. Ferrier, 1954) und den Keim der fran-

5

zösischen Novellenkunst in einem »trait fondamental du tempérament gaulois« (S. 222) entdeckte. Die Entwicklung der »realistischen«, die »romantische« ablösenden Kurzerzählung von den Fabliaux über die »Quinze Joyes du Mariage«, den »Chevalier de la Tour Landry« zu den »Cent Nouvelles nouvelles« sei gekennzeichnet durch eine immer bessere Erfüllung der vom Autor aufgestellten Norm: Realismus, dramatischer Aufbau, psychologische Auslotung, Konzentration auf die Pointe. Nicht von ungefähr verzichtet Söderhjelm auf eine Behandlung der französischen Novellen des 16. Jh.s, die nicht allein wegen des massiv einsetzenden italienischen Einflusses nicht mehr in diese enge Novellendefinition gepaßt hätten.

Noch die neueste größere französische Publikation von R. Dubuis (1973) ist trotz einiger Reserven gegenüber Söderhjelm im Grunde dem gleichen Denkschema verpflichtet. Sie setzt sich unter Berufung auf G. Paris das Ziel, nachzuweisen (S. 3), »que la nouvelle française du XVe siècle est, pour une grande part, l'aboutissement logique d'un courant authentiquement français«. Dubuis erarbeitet zuerst eine Norm mit Hilfe der »Cent Nouvelles nouvelles« (»Une nouvelle est le récit, le plus souvent bref, d'une aventure, en général récente et présentée comme réelle, qui intéresse par son caractère inattendu.« S. 126) und widmet sich dann den Fabliaux, Lais, Legenden und kurzen Romanen, die trotz der ihnen zuerkannten Eigenart eben doch nur als »Ancêtres précurseurs« der Novelle gesehen werden.

Eine solche historisch enge und gleichzeitig vage Novellendefinition ist völlig ungeeignet, auch nur die französische Novellistik bis ins späte 16. Jh. zu erfassen, geschweige denn die Vielfalt der gesamten Romania. F. Redenbacher (1926), der die Entwicklung der französischen Novellistik bis zum Ende des 16. Jh.s verfolgt, sah sich schon 1926 gezwungen, ihr den etwas allgemeinen Begriff eines »epischen Impulses« zugrunde zu legen. Als Ursache der Modifikationen des epischen Impulses bei den Autoren des 16. Jh.s, in bezug auf die Komposition, die Rahmentechnik und den Stil, nennt er kulturelle und geistige Hintergründe, ohne sie allerdings konkret dingfest zu machen.

Die Vor- und Nachteile der normativen und nationalen Forschungsrichtung liegen auf der Hand. Der Nationalstolz sorgte dafür, daß die nationalen literarischen Zeugnisse sorgfältig gesammelt und die eigenständigen Leistungen herausgestellt wurden. So entstanden unentbehrliche wissenschaftliche Grundlagen, wie die Werke von Menédez y Pelayo (1905 ff) und L. Di

Francia (1924/25). Die Beschränkung verstellte aber auch den Blick auf größere Zusammenhänge, die eine angeblich nationale Entwicklung, wie etwa den »spanischen Weg der Novelle« (W. Krauss, 1959), unter einem anderen Licht erscheinen lassen.

1.3. Strukturentwicklung und Strukturvergleich
Narratologie — Ideologiekritik

W. Pabst krönt und überwindet gleichzeitig die Diskussion um eine Gattungsnorm mit seinem Werk ›Novellentheorie und Novellendichtung‹ (1953, [2]1967). W. Pabst lehnt, aufbauend auf der vorausgehenden romanistischen Forschung zur Novelle (W. Pabst, 1949) eine normative Bestimmung der Gattung ›Novelle‹, oder gar die Vorstellung einer »Urform der Novelle« ab, ohne deshalb eine Art »novellistischer Tradition, etwa in der Nachahmung eines Rahmenschemas, oder Novellistik als Sammelbegriff für kürzere Erzählformen verschiedener Provenienz« ([2]1967, S. 259) zu leugnen.

Diese erste umfassende Untersuchung über die Novellen*theorien* bzw. die verschiedenen, in Vorworten, Rahmenhandlungen, Widmungsschreiben etc. geäußerten poetologischen Ansichten einzelner Autoren zeigt einleuchtend, daß diese für sich allein schon der Vorstellung einer nach strengen Regeln gebauten Gattung widersprechen. Der zusätzliche Vergleich mit den tatsächlichen Novellen*dichtungen* entlarvt die Theorien oft genug als bloße salvatorische Klauseln und Tarnmanöver vor literarischen, kirchlichen und politischen Autoritäten.

Der Nachweis, daß abgesehen von epigonalen Bemühungen für die Novelle von keiner festen Gattungsnorm ausgegangen werden kann, ebnet der Forschung den Weg für eine verstärkte Beschäftigung mit den individuellen Novellen*dichtungen*, die nun ganz bewußt in ihrem künstlerischen Eigenwert erkannt werden. Das gilt nicht nur für die schon von ihren Autoren ›Novellen‹ genannten Werke, sondern für alle »kürzeren Erzählformen verschiedener Provenienz«, besonders für die sogenannten Vorläufer der Novelle, die jetzt nicht mehr nur teleologisch als unvollkommene und minderwertige Stufen auf dem Weg zu einer vollkommenen Form (etwa J. M. Ferrier, 1954: Chap. II: The Form Perfected. Les Cent Nouvelles nouvelles) eingeordnet, sondern als eigenwertiger spezifischer Ausdruck gewertet werden, der es im Vergleich erlaubt, die Charakteristika einer historisch bestimmten Ausformung der Novelle zu bestimmen. H. Tiemann (1961) sieht in einer Berührung und Mischung vielfältiger Typen geradezu ein konstitutives Element der Gattung.

S. Battaglia (1960) arbeitet im Vergleich themengleicher Versionen die spezifischen Kennzeichen der »Disciplina clericalis«, des »Conde Lucanor«, des »Decameron« und der »Canterbury Tales« heraus und kann so seither in ihrem Eigenwert verkannte Sammlungen wie das »Novellino« (S. Battaglia, 1955) bezüglich Stil und Struktur angemessen würdigen.

Einen ähnlichen Weg geht H.-J. Neuschäfer (1969), der in Anlehnung an die Evolutionstheorie der russischen Formalisten nicht mehr »nach dem ›Wesen‹ der Novelle fragt, sondern danach, was eigentlich die Novelle *ursprünglich* von anderen Erzählformen unterscheidet, und durch welche Mittel sie sich als neue Gattung gegenüber den älteren eigentlich *konstituiert*« (S. 9). Die für Boccaccio ermittelten Charakteristika werden nicht als normativ für die gesamte Gattung gesehen und andere Erzählweisen auch »nicht einfach als ›Weiterentwicklungen‹ von Ansätzen Boccaccios begriffen« (S. 8), sondern als ganz bestimmtes und eigenwertiges Moment in der gattungsgeschichtlichen und strukturellen Entwicklung der Novelle analysiert.

Über die Bestimmung struktureller Charakteristika hinaus leistet seine Analyse aber noch mehr: sie ermittelt hinter den verschiedenen Strukturmerkmalen verschiedene Wertsysteme. So erklärte Neuschäfer die »Einpoligkeit und Doppelpoligkeit« bzw. »Endgültigkeit und Ambivalenz« durch verschiedene Auffassungen von der Personalität und durch eine Relativierung absoluter moralischer Normen; außerdem spricht er mehrfach Probleme der Moral- und Tugendauffassung an, ohne allerdings die spezifische historische Bedingtheit namhaft und das Verhältnis von Wirklichkeit und Erzählstruktur zum Gegenstand seiner Ausführungen zu machen.

Ganz dezidiert ahistorisch geht T. Todorov (1969) vor, der die Historie grundsätzlich aus seinen Betrachtungen ausschließt und am Beispiel Boccaccios den Grund zu seiner allgemeinen Narratologie (»Science du récit«) zu legen versucht. Es geht ihm nicht um das Verhältnis des »Decameron« zur Realität seiner Zeit, sondern darum, welchen Gesetzen das fiktionale Universum des »Decameron« gehorcht. Er schließt nicht nur den Rahmen aus seiner Analyse aus, sondern auch die tatsächliche Gestalt der Novellen, die zu einem Gerüst von Erzählelementen reduziert werden. (»Le système narratif que nous décrivons est une abstraction par rapport au texte réel: nous traitons des résumés des nouvelles plus que des nouvelles elles-mêmes.« S. 16) Doch zeigt es sich immer wieder (bes. S. 75 f), daß Begriffe wie »méfait«, »lois«, oder »punition« nicht losgelöst vom dazugehörigen historisch bedingten Wertsystem verwendet werden können, ohne daß es zu Ungereimtheiten kommt. Ähnlich ist es mit dem zentralen, die Struktur der Boccaccio-Novelle beherrschenden Begriff »échange«, auf dessen Zusammenhang mit der sozio-ökonomischen Situation und der dazugehörigen Ideologie Todorov dann doch selbst unvermittelt und unerwartet hinweist (S. 81).

Nicht der abstrakten Struktur einer »combinatoire des possibles« (T. Todorov), sondern der konkreten ästhetischen Gestalt der Novelle und deren historischen Entstehungsbedingungen galt das Interesse von K. Voßler (1902), der für das Erscheinen der französischen Novelle das Fehlen entsprechender kultureller und sozialer Voraussetzungen (Gleichstellung der Frau, ungezwungener gesellschaftlicher Verkehr beider Geschlechter an den italienischen Fürstenhöfen der Renaissance, Konversation) feststellt und sie als zuerst unorganisch von einer italianisierten Elite eingeführte Erzählform betrachtet. E. Auerbach (1921) sah den entscheidenden Unterschied der Novelle gegenüber Exemplum, Lai und Fabliau ebenfalls in der engen Bindung an die Gesellschaft, im »Ausdruck des individuellen Selbstbewußtwerdens« und betrachtete sie daher als eine Neuschöpfung der Renaissance. Beide Autoren bringen zwar die kulturellen Äußerungen schon in Zusammenhang mit ihren sozialen und historischen Bedingungen, kümmern sich aber noch nicht im einzelnen um deren Vermittlung in der ästhetischen Form.

Diese Bedingtheit der ästhetischen Form durch den Entwicklungsstand von Ökonomie und Gesellschaft und das davon abgeleitete Wertsystem stehen im Zentrum der ideologiekritischen Untersuchungen P. Brockmeiers (1972). Er befragt die »Selbstdarstellung der Kultur« in den Novellen von Boccaccio, Sacchetti, Marguerite de Navarra und Cervantes »auf die gesellschaftlichen Interessen hin«, die sie hervorgebracht haben (S. XI), und macht so die ideologischen Grundlagen und die wirklichkeitsverschleiernde Funktion ästhetischer Formung sichtbar.

Ideologiekritische Folgerungen aus seiner an A. J. Greimas (1966) und C. Segre (1971 b) orientierten strukturalistischen Studie über die ›Transformations du Triangle Erotique‹ (1976) zieht M. Olsen und strebt damit eine Synthese der verschiedenen methodischen Ansätze Todorovs, Neuschäfers und Brockmeiers an. Es zeigt sich dabei, daß die Kombinationsmöglichkeiten des Personendreiecks Ehemann — Frau — Liebhaber (der Ehemann kann in seiner Autoritätsfunktion durch andere Personen, etwa den Vater, ersetzt werden) im untersuchten Korpus das von den Fabliaux bis zu Cervantes reicht, durchaus nicht völlig frei, sondern eng mit den Wert- und Moralvorstellungen der entsprechenden Zeit verquickt sind. Das Gelingen oder Mißlingen einer Liebesbeziehung je nach dem sozialen Status der Liebenden und dem der geprellten Autorität, die Verwendung einer List (ruse) oder eines ausführlichen Liebeswerbens (cour), um zum Ziel zu gelangen, das Eingreifen von verschiedenen Formen des Zufalls — dies alles sind narrative Ausdrucksformen für die Ideologie des Autors.

Wesentliche Anregungen für eine systematische und gleichzeitig historische Erfassung des Textkorpus verdanke ich K. Stierle (1973), der Texte im Rahmen der Handlungstheorie als Sprachhandlungen und literarische Gattungen als sich regelmäßig wiederholende Abläufe von sprachlichen Handlungen sieht.

Er führt damit Gedanken weiter, die A. Jolles in seinen ›Einfachen Formen‹ (1930, ⁵1974) formuliert hatte. Jolles nimmt einen festen und begrenzten Bestand an narrativen Formen (S. 171 f.) an, von der jede einer menschlichen Grundhaltung gegenüber den Phänomenen des Lebens, einer »Geistesbeschäftigung«, entspreche: aus der »imitatio« gestalte sich so die Legende, aus der Befriedigung einer »naiven Moral« das Märchen, aus dem »Wägen« der Kasus etc. Diese anthropologisch konstanten, zeitlich nicht gebundenen ›Einfachen Formen‹ realisierten sich historisch in Texten als »gegenwärtige« und als »Kunstformen« oder gar, wenn sie nicht mehr im Sinn der ursprünglichen Geistesbeschäftigung gebraucht würden, als »bezogene Formen«.

Stierle relativiert diesen Jolles'schen Ansatz historisch, indem er den sprachlichen und außersprachlichen Kontext als formkonstitutiv miteinbezieht: »Der geschichtliche Wandel, der einen Wandel der Gesellschaft und ihrer Kommunikationsformen impliziert, bringt immer neue sprachliche Handlungsschemata hervor und damit zugleich immer neue Möglichkeiten ihrer poetischen Freisetzung und Umbesetzung, die von Textpragmatik und Textpoetik nicht ein für alle Mal, sondern im Hinblick auf ihre geschichtliche Stelle erörtert werden müssen« (S. 350). Unter diesen Gesichtspunkten analysiert Stierle die Form des Exemplum in ihrer historischen Entwicklung von der

Antike und dem Mittelalter über die Novelle Boccaccios bis hin zu den »Essais« von Montaigne.

Die vorliegende Untersuchung konzentriert sich auf die zwischen den beiden Polen Exemplum und Essai angesiedelte Entwicklung der Novelle in ihrer ganzen Vielfalt, wobei der für die Textform konstitutive außersprachliche Kontext im Unterschied zu K. Stierle weniger geistesgeschichtlich als gesellschaftlich und politisch begriffen wird.

Es ist auffällig, wie wenig sich die französische Literaturgeschichtsschreibung, im Gegensatz zur italienischen und spanischen, die wenigstens intensiv ihre nationale Novellentradition, wenn auch mit ausgeprägter Vorliebe für bekannte Namen und selten in größerem Zusammenhang, erforscht (W. Eitel, 1977, S. 12, 16 ff.) um die französische Novelle kümmert. R. Godenne, der belgische Autor der, von Vorworten (M. Raymond, 1950; P. Jourda, 1965) und einem sehr heterogenen Kolloquium (Cahiers de l'AIEF, 1966) abgesehen, einzigen französischen Übersicht über die Entwicklung der Novelle in Frankreich, stellt lapidar fest (1974, S. 8): »La critique dans son ensemble se comporte comme le publique et les éditeurs; elle ignore la nouvelle. On demeure proprement stupéfait devant les lacunes étonnantes qui subsistent dans le domaine des études sur la forme.«

Beispielhaft ist allerdings die französische Forschung zur italienischen Renaissancenovelle. Das Centre de Recherche sur la Renaissance Italienne unter der Leitung von A. Rochon (Hg. 1972 ff.) hat historisch gut dokumentierte und fundierte Einzelanalysen über die Beffa und über das Verhältnis der Renaissance-Autoren zur politischen Macht vorgelegt, die in breiter Teamarbeit ein umfangreiches Textkorpus unter annähernd gleichem Gesichtswinkel und Methodenansatz untersucht. Man darf auf eine Synthese gespannt sein.

2. DIE GESELLSCHAFT ALS PRÄGENDES ELEMENT EINER LITERARISCHEN GATTUNG
VORÜBERLEGUNGEN ZUR METHODE

Nach zahlreichen mehr oder minder vergeblichen Versuchen der Gattungstheorie (J. Kunz, 1968, ²1973), dem vielfältigen literarischen Phänomen Novelle beizukommen, ist es inzwischen klar geworden, daß eine Lösung der Aufgabe weder mit Hilfe eines normativen Gattungsbegriffs in der Art eines ›Falken‹ (P. Heyse, 1871) noch durch eine generelle Ablehnung eines Gattungsbegriffs ›Novelle‹ (W. Pabst, ²1967) gelingen kann. Schon W. Pabst führt als Ersatz für den belasteten Begriff den des »novellistischen Erzählens« ein. Die Erkenntnis setzt sich immer mehr durch, daß die Gattung Novelle — und dieses Schicksal teilt sie mehr oder weniger mit allen literarischen Gattungen — keine andere Allgemeinheit haben kann, als diejenige, »die sich im Wandel ihrer historischen Erscheinung manifestiert« (H. R. Jauss, 1972, S. 110). Wenn sich die vorliegende Untersuchung auch nur über einen Zeitraum von knapp drei Jahrhunderten erstreckt und sich in einem relativ geschlossenen Raum eng verwandter Sprachen bewegt, so kann man doch einen erstaunlich vielseitigen Wandel dieser historischen Erscheinungsform beobachten. Diese Vielfalt läßt sich nur teilweise durch die Verschiedenheit der Vorformen wie Exempel, Fabliau, Nova, Vida, Lai, Märchen, Legende und Mirakel begründen, wie sie von Boccaccio unter dem Gesetz der zeitlichen, räumlichen und sozialen Situierung des einmaligen Falls zur Novelle assimiliert wurden. Unabdingbare, wenn auch nicht allein hinreichende Voraussetzung für die Form der Novelle bei Boccaccio ist die Umwälzung und Verunsicherung religiöser, politischer und moralischer Normen (H.-J. Neuschäfer, 1969).

Es kann nicht genug betont werden, daß der für so viele einseitige Gattungsnormen mißbrauchte ›Musterautor‹ Boccaccio selbst das beste Beispiel für den großen »Spielraum des novellistischen Erzählens« (B. v. Wiese, ⁶1975, S. 9) ist. Er selbst war sich der Variabilität seiner Novellenform bewußt. Davon zeugt seine ›Gattungsdefinition‹, seine Erläuterung des Begriffs ›novella‹: »intendo di raccontare cento novelle, o favole o parabole o istorie«, (ed. V. Branca, 1965, S. 6). Neben Witzworten und klugen Streichen finden sich lange Abenteuer- und Liebesgeschichten, neben beispielhaften Lehrstücken übernatürliche und märchenhafte Ereignisse. Diese Vielfalt bleibt für das untersuchte Textkorpus von Novellen charakteristisch. Je nach der historischen Situation, je nach der nationalen, sozialen und kulturellen Zugehörigkeit aktualisieren die Novellenautoren aus dem vorhandenen Reservoir kurzer Erzählformen diejenigen, die ihren ästhetischen Erfordernissen am besten entsprechen, oder aber sie bringen neue bzw. bisher zurückgedrängte Elemente ins Spiel.

Von einer ›Entwicklung‹ der Novelle zu reden, ist streng genommen unzutreffend, da dieser Begriff organisches Wachstum bis zu einem Reifestadium assoziiert. Eine solche klassizistisch-teleologische Vorstellung ist bei spätmittelalterlichen Gattungen allgemein unangebracht (H. R. Jauss, 1972, S. 134), ganz besonders aber bei der Novelle. Denn dort verläuft die ›Entwicklung‹ eher in Richtung einer ›Degeneration‹: auf ein nach kurzer literarischer Vorbereitung entstandenes ›vollkommenes‹ Beispiel einer Novellensammlung, nämlich Boccaccios »Decameron«, folgen — nach dem Urteil des größten Teils der literaturwissenschaftlichen Untersuchungen —, Cervantes und vielleicht noch Bandello ausgenommen, jahrhundertelang nur ›Verfallsprodukte‹, die ohne allzuviel Erfolg danach streben, es ihrem Vorbild gleich zu tun. Die Unbrauchbarkeit einer solchen Auffassung, die den dynamischen und schöpferischen Aspekt einer Gattungstradition in der lebendigen Auseinandersetzung mit der jeweiligen historischen Situation verkennt, leuchtet unmittelbar ein.

Doch auch der formalistische Evolutionsbegriff (J. Striedter, 1969, S LX—LXX) mit dem Prinzip des innovatorischen Traditionsbruchs und dem zeitweiligen Rückgriff auf frühere Formen kann allein nicht befriedigen, denn er läßt, im elfenbeinernen Turm der literarischen Reihe befangen, die außerliterarischen Faktoren unberücksichtigt, die die Richtung und Art der Innovation beeinflußt haben. Ein Bandello zum Beispiel konnte, wollte er sich nicht selbst verleugnen und sich zum Kopisten degradieren, nicht mehr die gleichen Novellen schreiben wie Boccaccio; und zwar nicht deshalb, weil er Boccaccio nicht hätte nacheifern wollen (im Vorwort setzt er sich nur gegen das Toskanische ab), sondern weil die veränderte Wirklichkeit, seine Stellung in ihr und zu seinen Lesern, wie auch seine individuell bedingte Sicht auf diese Wirklichkeit ihn notwendig zu einer neuen, veränderten Novellenform führten.

Ganz offensichtlich wird das mittelbare Einwirken außerliterarischer Faktoren auf die ästhetische Gestaltung der Gattung bei Autoren, die sich ausdrücklich an Boccaccio ausrichten. Bei aller Vorsicht gegenüber Willenserklärungen im Vorwort zeigt etwa das »Heptaméron« der Marguerite de Navarre, daß es als Imitation des »Decameron« gedacht war und daß sich der Originalitäts-Ehrgeiz der Autorin in erster Linie auf neue, »wahre« Stoffe richtete (ed. Jourda, 1965, S. 709: »se delibererent d'en faire autant, sinon en une chose differente de Bocace: c'est de n'escripre nulle nouvelle qui ne soit veritable histoire.«)

Das Ergebnis zeigt aber, daß die Sammlung trotz äußerlicher Nachahmung des Rahmens, nicht nur stofflich, sondern auch in bezug auf die Struktur des Werks, beispielsweise durch die ausgedehnten Diskussionen der »devisants«, einen veränderten Charakter erhalten hat. Von einem willentlichen Bruch oder Kampf mit dem Vorbild kann keine Rede sein, der jeweils veränderte historische Kontext, die soziale Stellung des Autors und seines Publikums und die daraus resultierende Funktion des Kunstwerks sind es, die neben den individuellen Faktoren Form und Inhalt wesentlich mitbestimmt.

Obwohl Sacchetti und der Autor der »Cent Nouvelles nouvelles« sich ausdrücklich auf Boccaccio berufen, halten sie im Gegensatz zu Marguerite de Navarre ein für die Novellensammlungen so wichtiges konstitutives Strukturelement wie die Rahmenfiktion offensichtlich für überflüssig. An der persönlichen Unfähigkeit zweitrangiger Autoren kann das ›Vergessen‹ des Rahmens nicht liegen, da es als Gegenbeweis genügend dritt- und viertrangige Rahmennachahmungen gibt.

Die Illusion von einer autonomen Entwicklung der literarischen Reihe ›Novelle‹ läßt sich vor allem dann nicht mehr aufrecht erhalten, wenn man nicht nur die an Boccaccio ausgerichteten Sammlungen betrachtet, sondern versucht, etwa im Frankreich des 16. Jh.s die Vielfalt novellistischen Erzählens ohne den bequemen Rekurs auf einen zweifelhaften französischen Volkscharakter zu erklären: der märchenhaft volkstümliche Einschlag Nicolas de Troyes, die romanhaften Rittergeschichten Jeanne Flores, die Fazetien Des Périers, die tragischen Liebesgeschichten Jacques Yvers, die Lügengeschichten Philippe le Picards und die essayistische Erzählweise Bouchets und anderer lassen sich in ihrer Eigenart und zeitlichen Abfolge kaum aus einer innerliterarischen Entwicklung, sehr wohl aber aus dem Standort der Autoren in ihrer Zeit erklären.

Die allgemeine historische Entwicklung ist aber nur *ein* Bedingungsfaktor für das literarische Werk, die Erfahrung der Geschichte kann individuell duchaus verschieden sein, je nach sozialer Stellung, Bildung und persönlichem Lebensschicksal, von den unterschiedlichen intellektuellen und künstlerischen Fähigkeiten ganz zu schweigen. Man denke nur an den Unterschied der beiden miteinander persönlich bekannten, aber dennoch durch Welten getrennten Zeitgenossen Marguerite de Navarre und Bonaventure Des Périers. Folglich gibt es auf *eine* historische Situation nicht nur *eine* sich mit kausaler Notwendigkeit ergebende ästhetische Antwort, sondern eine Vielzahl von Antworten, die allerdings gewisse grundsätzliche historische Rahmenbedingungen nicht zu sprengen vermögen (E. Köhler, 1974).

Es kann und soll auch nicht geleugnet werden, daß Autoren der Renaissance sich bewußt von ihren literarischen Vorbildern unterscheiden wollen und es sich zum Ziel setzen, Neues zu schaffen. Ansätze dazu zeigt unter den Novellenautoren wenigstens im Titel der Verfasser der »Cent Nouvelles nouvelles«, der den Gattungsnamen ernst nimmt, dem zum literarischen Gattungsbegriff erstarrten ›Nouvelles‹ das qualifizierende Adjektiv hinzufügt und damit die Innovation zum Prinzip erhebt: »l'estoffe, taille et fasson d'icelles est d'assez fresche memoire et de myne beaucop nouvelle.« (ed. F. P. Sweetser, 1966, S. 22). Doch hängt der Grad der bewußten Innovation wesentlich von der Stellung des Künstlers und der Literatur in der Gesellschaft ab. Ein treffendes Beispiel dafür ist Cervantes, der als erster der bedeutenden Novellenautoren auf die Einkünfte aus seinen literarischen Erzeugnissen angewiesen ist und dementsprechend seine Originalität und das geistige Eigentumsrecht an seinen Novellen besonders betont (ed. A. Valbuena Prat, 1970, S. 920):

»... me doy a entender (y es así) que yo soy el primero que he novelado en lengua castellana; que las muchas novelas que en ella andan impresas todas son traducidas de lenguas extranjeras, y éstas son mias propias, no imitadas ni hurtadas; mi ingenio las engendró y las parió mi pluma, y van creciendo en los brazos de la imprenta.« (»Ich glaube zu wissen, und es ist so, daß ich der erste bin, der in kastilischer Sprache Novellen erzählt hat, denn die vielen, die in dieser Sprache gedruckt wurden, sind alle aus fremden Sprachen übersetzt. Diese Novellen jedoch sind mein Eigentum, ich habe sie weder nachgeahmt noch gestohlen; mein Geist hat sie gezeugt, meine Feder hat sie geboren und sie wachsen in der Pflege des Buchdruckers heran.«)

Doch nicht nur der Innovationsgrad, sondern auch die Art der inhaltlichen und formalen Änderungen gegenüber den Vorgängern ist nicht dem Zufall oder dem alleinigen Belieben des Autors überlassen, sondern sie bewegen sich notwendig im Rahmen der durch die jeweilige historische Situation und die zu dieser Zeit herrschenden Ideologien bereitgestellten Möglichkeiten (E. Köhler, 1973).

Die folgenden Seiten verfolgen in großen Zügen am Beispiel der romanischen Novelle bis Cervantes das Zusammenspiel der drei wichtigsten, die Geschichte einer Gattung bestimmenden Faktoren: den *Freiheitsraum der individuellen Fähigkeiten des Autors* und seine *Bedingtheit durch die historische Situation* auf dem Hintergrund der *Tradition literarischer Formen.* Nachdem neben der Quellenforschung sowohl die Fähigkeiten der einzelnen Autoren als auch die mehr oder minder ›eigengesetzliche‹ und nationale Entwicklung der Gattung seither bevorzugter Untersuchungsgegenstand der Forschung waren, liegt im Folgenden der Schwerpunkt bewußt auf dem dritten Faktor, auf der historischen und sozialen Bedingtheit der spezifischen Ausprägung der Gattung.

Dieser ›zeitbedingte‹ Charakter eines literarischen Werks läßt sich verhältnismäßig problemlos auf der Ebene der dokumentarischen ›Realitätsbruchstücke‹ und expliziter, ideologisch geprägter Meinungsäußerungen dingfest machen; schwieriger wird es, die jeweilige Ideologie auf der Ebene der ästhetischen Vermittlung als ideologische Struktur zu erkennen. Ökonomische und soziale Verhältnisse, sowie politische Ereignisse bestimmen mehr oder minder offensichtlich den Inhalt aller Novellensammlungen. Dieser Referenzcharakter der Novellen, ihr kulturhistorischer Dokumentationswert, fand auch schon das Interesse positivistischer Forschung. Seltener indes sind Versuche, nicht nur die unmittelbare Wiedergabe der Realität, sondern ihre vielfach vermittelten Auswirkungen auf die ästhetische Struktur der Werke zu erfassen, wie es L. Sozzi (1972) in Ansätzen für die französische und G. Mazzacurati (1971) für die italienische Renaissancenovelle unternahm.

Die wichtigste und unabdingbare Vermittlungsinstanz ökonomischer und sozialhistorischer Bedingungen für die ästhetische Form bildet die Ideologie des Autors bzw. der sozialen Gruppe, der er sich zugehörig fühlt und deren Interessen er dient. Der Begriff Ideologie wird im Folgenden nicht mit dem landläufigen abschätzigen Beigeschmack verwendet, sondern in seiner umfassenderen, im romanischen Sprachgebrauch üblichen Bedeutung (Paul Robert, 1967): »Ensemble des idées, des croyances et des doctrines propres à une époque, à une societé ou à une classe. Système d'idées, philosophie du monde et de la vie.« Ideologie umfaßt allerdings über das abstrakte Wertesystem hinaus auch schon dessen Vermittlung durch entsprechende Denk- und Darstellungsweisen und wird daher von L. Althusser (1965, S. 238) definiert als »un système (possédant sa logique et sa rigueur propres) de représentations (images, mythes, idées ou concepts selon les cas) doué d'une existence et d'un rôle historique au sein d'une société donnée.«

Für die Literaturwissenschaft, die sich mit einem Teil dieses »système de représentations«, eben der Literatur, befaßt, hat sich eine methodische Differenzierung der Erscheinungsformen von Ideologie als sinnvoll erwiesen. P. Macherey (1971) trennt eine »critique de l'idéologie« von einer »critique de l'idéologique«, d. h. er unterscheidet zwischen einer direkt, etwa in Vorworten oder in diskursiven Einschüben des Autors ausgesprochenen Ideologie, die bewußte und ausdrückliche Urteile und Meinungen zu Fragen der Moral, Religion, Politik etc. enthält, und einer indirekt, auf dem ›Umweg‹ über die Struktur der literarischen Fiktion, weitgehend unbewußt ausgedrückten Vorstellung des Autors vom Zusammenhang und von den Gesetzen der Realität, wie sie sich in der Wahl und dem Verhältnis der Protagonisten (M. Olsen, 1976), dem Ablauf und Schluß der Handlung etc. niederschlägt. Einer kritischen Betrachtung von Literatur fällt dabei die Aufgabe zu, die Deformierungen der Wirklichkeit durch die Ideologie und die dahinter stehenden Interessen bestimmter sozialer Schichten in der ästhetischen Gestaltung aufzuzeigen (P. Brockmeier, 1972; P. Bürger, 1975).

Innerhalb der Struktur der literarischen Fiktion sind es die makrostrukturellen Elemente, etwa der Rahmen, die als »Ideologisches« im Sinne Machereys der expliziten Ideologie des Autors und der von ihm vertretenen Gruppe am offensichtlichsten entsprechen, während die Vermittlungsstufen zwischen der Ideologie und einer bestimmten Form von Novelle, zum Beispiel der Beffa, oder einer stilistischen Eigenart (P. Brockmeier, 1974) schwieriger zu verfolgen sind.

Die Aufstellung ahistorischer Typologien allein wäre bei der vorliegenden Zielsetzung von geringem Nutzen, da das Interesse nicht einer über alle Epochen und Klassen hinweg gültigen anthropologischen Konstante, etwa den ›Einfachen Formen‹ (A. Jolles, 1930, ⁵1974) gilt, sondern den einzig existierenden Texten, den ›aktualisierten Formen‹. Die Tatsache, daß sowohl Boccaccio als auch Marguerite de Navarre in einem Abstand von gut zweihundert Jahren ihren Novellensammlungen einen ähnlichen Rahmen geben, läßt zwar, wenn auch auf keine anthropologischen Konstanten, so doch auf gewisse Ähnlichkeiten im Bewußtsein der Autoren und ihrer geistigen Bewältigung der Wirklichkeit schließen. Es heißt aber noch nicht, daß die Bedeutung dieser beiden Rahmenfiktionen im Zusammenspiel mit den Novellen identisch ist. Erst die Interpretation eines Typs im konkreten historischen und sozialen Kontext läßt strukturelle Gemeinsamkeiten und gewisse Unterschiede klar erkennbar und deutbar werden. In diesem Sinn sind Typologien allerdings durchaus notwendig, um einen systematischen literarischen Bezugsrahmen für historische Phänomene zu schaffen, ohne den nur eine chronologische Beschreibung, aber keine Interpretation möglich wäre.

Um die zentralen Gedankengänge der Untersuchung klarer hervortreten zu lassen, beschränke ich mich auf zwei makrostrukturelle Bereiche novellistischer Formgebung: einmal auf den Rahmen, zum anderen auf die verschiedenen Formen der in den Rahmen eingebetteten oder ohne Rahmen aneinandergereihten Novellen.

3. Der Novellen-Rahmen

Die Bedeutung des Rahmens klären heißt nicht in erster Linie, den referentiellen Charakter der im Rahmen verwendeten Realitätsbruchstücke, d. h. die Historizität der dort erzählten Fakten beweisen und die dort direkt geäußerten Meinungen paraphrasieren. Dagegen spricht schon die Tatsache, daß auch das *Fehlen* eines Rahmens eine ideologische Bedeutung hat. Das Ideologische, die indirekte Aussage über die Ideologie des Autors, liegt in der Struktur einer Rahmenerzählung, deren Bedeutung durchaus von der direkt geäußerten Ideologie abweichen kann.

Das hängt mit dem verschiedenen Rede-Status von Einleitung, Vorwort oder Widmung, Rahmenerzählung und erzählten Geschichten zusammen. Die Rahmenerzählung, als eigenständige Erzählung denkbar, nimmt eine Zwischenstellung ein zwischen dem reinen Discours, der persönlichen Anrede des Autors an seinen Leser in Vorwort oder Widmungsschreiben, und dem Récit, dem distanzierten Erzählen einer räumlich und zeitlich entrückten Handlung in den Novellen. Aufgrund dieser Zwischenstellung ist es nur teilweise richtig, den Rahmen der »besprochenen« im Gegensatz zur »erzählten Welt« der Novellen (H. Weinrich, [2]1971, S. 132/36) zuzuordnen. Der Autor versteckt seine Meinung über die erzählten Novellen vielmehr hinter fiktiven Personen, die an seiner Statt das Erzählte una voce oder mit verteilten und kontroversen Rollen, aber eben auch innerhalb eines Récit, kommentieren und diskutieren. Je mehr Wirklichkeit die Ideologie aber zu ihrer ästhetischen Verwirklichung in sich aufnimmt, desto mehr muß sie sich an ihr bewähren. Das heißt, je mehr der Rahmen narrativ ausgestaltet wird, desto eher wird seine Ideologie an der Realität des Erzählten überprüfbar. Der Widerspruch zwischen expliziter Ideologie und implizit Ideologischem ist folglich wahrscheinlicher zwischen einem diskursiven persönlichen Kommentar des Autors (etwa einer Novelle vorausgehenden oder angehängten Moral) und den Novellen selbst, als zwischen der expliziten Ideologie des Autors und seiner Rahmenerzählung, die meist weniger Realität in sich aufgenommen hat und abstrakter bleibt als die Novellen.

Mit einer Rubrizierung nach ›Rahmen‹ bzw. ›kein Rahmen‹ und deren Paraphrase (O. Löhmann, 1935; L. Graedel, 1959) ist für die vorliegende Fragestellung nichts gewonnen, da sich keine sukzessive und kontinuierliche literarische Entwicklung auf einen Rahmen hin oder von ihm weg beobachten läßt.

Das »Novellino« vom Ende des 13. Jh.s verzichtet auf einen Rahmen, obwohl dem Kompilator die literarischen Vorbilder aus dem Orient ebenso geläufig waren wie zwei Generationen später Boccaccio. Doch selbst der ›vorbildliche‹ »Decameron«-Rahmen wird einerseits von Sercambi kopiert, von dessen Zeitgenossen und Florentiner Nachbarn Sacchetti aber verschmäht. Eine ähnlich verwirrende Vielfalt läßt sich im Frankreich der Renaissance feststellen: die »Cent Nouvelles nouvelles« verzichten trotz der Kenntnis des »Decameron« auf einen Rahmen, ebenso in Anlehnung an Poggio die Fazetiensammlung des Bonaventure Des Périers, während seine Zeitgenossin und Gönnerin Marguerite de Navarre und spätere Erzähler wie etwa J. Yver den Rahmen beibehalten.

Um dieses uneinheitliche Erscheinungsbild sinnvoll erklären zu können, soll als erster Schritt die Funktion des Rahmens näher bestimmt werden: Ein Rahmen dient seiner allgemeinsten Bestimmung nach dazu, etwas zu umschließen, zusammenzuhalten und einzuordnen. Als literarisches Strukturelement hängt seine Verwendung von dem Bedürfnis ab, das ein Autor empfindet, die von ihm in den Novellen bruchstückhaft wiedergegebene Realität zu ordnen bzw. davon, ob er sich von seiner Ideologie her zu einem solchen Ordnungsversuch in der Lage sieht. Dieses Bedürfnis ist je nach der historischen Situation und der darauf fußenden Ideologie verschieden stark und verschieden gerichtet. Ideologie und Rahmenfiktion haben daher in ihrem jeweiligen Bereich fast identische Funktionen: beide versuchen, Fragmente einer konfusen und unzusammenhängenden Realität (im Bereich der Novellistik: die einzelnen Novellen) in einen geordneten, kohärenten und systematischen Bezug zueinander zu setzen.

Eine Rahmenfiktion wird literarisch erst nötig, wenn ein fragloser, selbstverständlicher, von allen (dem Autor wie auch den potentiellen Lesern) akzeptierter Zusammenhalt der Realitätspartikel nicht mehr gewährleistet ist. Das heißt auf die Literaturgeschichte angewendet: solange das Mittelalter über ein gefestigtes religiöses und ständisches Weltbild verfügte, konnte die dichterische Fiktion im Epos die Wirklichkeit mühelos in einen durch den Heilsplan Gottes und die Ständeordnung von außen her gegebenen Zusammenhang stellen, die Handlung war gewissermaßen durch Vorsehung und Geburt strukturiert. Auf der Seite der Kurzerzählung konnten die mittelalterlichen Exemplasammlungen eine Unzahl divergierender Realitätspartikel — Geschichten aus der Antike bis zur Gegenwart — unverbunden aneinanderreihen, da sowohl der Autor als auch der Leser die beruhigende Gewißheit hatte, alles ruht eingebettet in die göttliche Heilsordnung, wie sie dann anhand des Exempels meist allegorisch in der Predigt expliziert wurde. Exemplasammlungen brauchten somit keinen narrativ ausgestalteten Rahmen, da seine Funktion vom außerliterarischen Kontext übernommen wurde.

So beginnt und schließt der gerade erst zum christlichen Glauben bekehrte (1106) spanische Jude Petrus Alfonsi, Leibarzt des Königs Alfons I. von Aragonien, seine Spruch- und Exemplasammlung »Disciplina clericalis« (nach 1106; ed. minor A. Hilka/W. Söderhjelm, 1911; ed. maior A. Hilka/W. Söderhjelm, 3 Bde. mit frz. Prosa- und Versbearbeitungen, 1911–13) mit einem Gebet, in dem der belehrende Charakter des Buches unterstrichen wird.

Erst die Entwicklung eines bürgerlichen Selbstbewußtseins im Zusammenhang mit dem Zerfall der feudalen und religiösen Ordnungen läßt das Bedürfnis und die Fähigkeit entstehen, die nun nicht mehr fraglos geordnete Welt neu und zwar autonom zu ordnen.

Die einzelne Geschichte fungiert nicht mehr automatisch als ein typisches Beispiel (Exemplum) im vorgegebenen Bezugsrahmen des mittelalterlichen Ordo, sondern sie wird zum einmaligen, unerhörten Fall (novella), den es erst einzuordnen gilt und dessen Einordnung prekär bleibt. Die Realität zerfällt in Bruchstücke, die Geschichte in Geschichten, denen der Autor einen neuen, künstlichen Zusammenhalt verschafft — oder gegebenenfalls auch nicht; er setzt seine Ideologie an die Stelle der früher allgemeingültigen religiösen und gesellschaftlichen Vorstellungen.

Nicht von ungefähr entstehen die ersten Novellensammlungen Europas am Ende des 13. Jh.s im ›anarchischen‹ (G. Tabacco, 1974, S. 106 ff.) Ober- und Mittelitalien, derjenigen Gegend, in der die politische Autonomie der Städte und ihrer Bürger am weitesten fortgeschritten, deren soziales Gefüge durch den zunehmenden Machtgewinn des Handel treibenden Bürgertums am grundlegendsten verändert und dessen orthodoxer Glaube durch das neue Selbstbewußtsein und das Wirken der großen Häresiebewegungen (G. Miccoli, 1974, S. 609 ff.) nachhaltig erschüttert war.

Bevor wir nun die Entwicklung des Rahmens näher verfolgen, soll kurz der Unterschied zu dem geklärt werden, was A. Jolles (1921) einen »Halserzählungs«-Rahmen nennt. Eine Halserzählung – eine Geschichte, in der es ›um Kopf und Kragen‹ geht – bildet den Rahmen der bekanntesten orientalischen Erzählsammlungen wie des »Vetalpantschavinsati«, des »Papageienbuchs«, der »Sieben weisen Meister« und auch von »1001 Nacht«. Um allgemeine gesellschaftliche Ordnungsstiftung kann es sich bei einem solchen Rahmen kaum handeln, da die Ordnung in einer orientalischen Despotie kaum in Frage steht, vielmehr behauptet sich ein Einzelner gegen einen Übermächtigen (Dämon oder König). Die eingerahmten Erzählungen haben die Funktion von Märchenproben, die bei richtiger Ausführung automatisch das glückliche Ende herbeiführen und die nie ernsthaft gefährdete Ordnung wiederherstellen. Das Erzählen von Geschichten hat eine direkte Wirkung auf den Ablauf der Halserzählung, ihr Ende hängt von den eingerahmten Geschichten ab.

Boccaccio hat zwar die Gefährdung durch die Pest beibehalten, doch erlösen die erzählten Novellen nicht mehr materiell von der Pest wie im Märchen, sondern die Rettung ist rein ideell, der chaotischen Wirklichkeit der Natur wird die Fähigkeit des Menschen zu gesellschaftlicher Ordnung entgegengesetzt; die Pest allerdings wütet auch noch nach der Rückkehr der »brigata« nach Florenz. Die Wiederherstellung der Ordnung in der Halserzählung ist individuell, materiell und automatisch, in der Rahmenerzählung des Boccaccio kollektiv, ideell und in einer autonomen Willensanstrengung selbstbewußter Bürger begründet.

»Novellino«

Der Kompilator des »Novellino« (Ende 13. Jh./Anfg. 14. Jh.) ist Zeuge für ein historisches Übergangsstadium zwischen mittelalterlichem Ordo und kommunaler Autonomie: einerseits verzichtet er noch wie die Exemplasammlungen auf einen Rahmen und beschränkt sich auf einen Prolog, andererseits bemüht er sich, — folgt man den Thesen des Herausgebers G. Favati (ed. 1970, S. 30 ff.) — wenn auch ohne sein Ziel ganz zu erreichen, die Geschichten streng nach Zahl (10 x 10) und Thematik zu ordnen. Das gleiche Zögern zwischen dem mittelalterlichen Exempel, das sich auf einen festen externen, alles erklärenden religiös-feudalen Bezugsrahmen verlassen kann, und den neuen Erzählformen, die auf den autonomen, aber noch unsicheren Verhältnissen in den bürgerlichen Stadtrepubliken beruhen, kennzeichnet die Novellen des »Novellino« selbst (s. u. S. 78 ff.).

Die hundert Novellen der anonymen, auch unter den Titeln »Cento novelle antiche« und »Libro di novelle, e di bel parlar gentile« bekannten Sammlung (ed. Favati, 1970) stammen aus den verschiedensten schriftlichen und mündlichen Quellen (R. Besthorn, 1935, S. 19–165). Die Überlieferung ist äußerst vielfältig, mit verschiedenen Versionen aus verschiedenen Zeiten (zu den Manuskripten und frühen Ausgaben: S. Lo Nigro, 1964), so daß die Zuordnung zu einem einzigen Kompilator ebenso wie dessen Lokalisierung in Florenz oder eher in Richtung Venedig fraglich bleibt. (Favati, 1970, S. 60 ff.).

Giovanni Boccaccio

G. Boccaccio (1313–1375) umgibt seine Rahmenerzählung mit ihrer Schilderung der Pest und der Erzählerrunde noch zusätzlich mit einem diskursiven Rahmen (Proemio des 1. und 4. Tages, Conclusione dell'autore). Diese poetische und moralische Rechtfertigung des »Decameron« schirmt die Fiktion gegen die herrschende Ideologie ab. Umso freier von überkommenen Zwängen vermag er sich daraufhin in Rahmenerzählung und Novellen zu äußern.

Als selbstbewußter Angehöriger des Popolo grasso von Florenz hat Boccaccio die Möglichkeit, aktiv an der Gestaltung der Realität mitzuwirken, sowohl im persönlichen (als Sohn eines Bankiers) als auch im öffentlich-politischen Bereich (als Träger städtischer Chargen). Seine die Rahmenerzählung des »Decameron« bestimmende Ideologie verknüpft Bürgerliches mit Adligem (G. Padoan, 1964; P. Brockmeier, 1972, S. 1—39). Das läßt sich nicht allein mit seinen persönlichen Erinnerungen an den neapolitanischen Königshof und seine vom Mittelalter geprägte Kultur (V. Branca, 1956) erklären als vielmehr mit der Tatsache, daß es der Adel der italienischen Stadtrepubliken im Gegensatz etwa zum französischen nicht für unter seiner Würde hielt, sich an den neuen Formen des bürgerlichen Erwerbslebens zu beteiligen, statt nur vom Grundbesitz zu leben. So verschmelzen in der herrschenden großbürgerlichen Schicht von Florenz bürgerliche Tugenden in Handel und Gewerbe wie zum Beispiel ›avvedimento‹, ›ingegno‹ mit adligen wie ›cortesia‹, ›amore‹, die dadurch in ihrer Bedeutung verändert und den neuen Erfordernissen gesellschaftlichen Lebens angepaßt werden. Boccaccios Welt wird nicht mehr vom christlich-feudalen Ordo und einer in diesem Sinne wirkenden Vorsehung beherrscht, sondern der Zufall (›Fortuna‹; V. Cioffari, 1940) die Partikularinteressen der Geschäftsleute und deren spezifische Tugenden und Fähigkeiten bestimmen die Wirklichkeit. Nach dem Verlust der heteronomen und eindeutigen Bestimmung bleibt es schwierig, die Balance zwischen den konkurrierenden gesellschaftlichen Kräften zu halten. Die kommunale bürgerliche Autonomie führt zur Aufwertung und Selbstbestätigung des einzelnen Bürgers, aber auch zur Gefährdung des Zusammenhalts, die Durchbrechung der Standesgrenzen zwischen Adel und Bürgertum zu größerer Freiheit, aber auch zu immer wieder aufbrechenden Klassengegensätzen gegenüber dem weniger reichen und um seinen politischen Einfluß kämpfenden Popolo minuto, wie die Fraktionskämpfe in Florenz zwischen Popolo minuto, Popolo grasso und den adligen Magnaten immer wieder beweisen (R. Davidssohn, 1866/1927).

Boccaccios Rahmenfiktion im »Decameron« nun vermittelt diese Ideologie literarisch: das Chaos der Wirklichkeit, in dem einer den anderen übertölpelt, im Kampf mit dem Schicksal je nach seinen Fähigkeiten und Tugenden unterliegt oder gewinnt, wird repräsentiert durch die Fülle der einzelnen Novellen, die in einen adlig-großbürgerlichen Rahmen voller Harmonie und Vernunft gebettet werden. Die Schilderung der zerstörerischen Wut der Pest stellt über den symbolischen, allgemein menschlichen Bezug hinaus einen gezielten Hinweis auf die wirtschaftliche und politische Krise in Florenz und die in den Jahren zwischen 1330 und 1350 real drohende Gefahr für die sozialen, religiösen und moralischen Normen der bürgerlichen Kommune dar (R. Ramat, 1963; G. Bàrberi-Squarotti, 1970). Die »lieta brigata« flieht nicht in erster Linie vor der Krankheit, — die Pest wütet ja gleichermaßen auch auf dem Lande, und die Gesellschaft kehrt auch vor dem Ende der Pest nach Florenz zurück — sondern als Zusammenschluß verantwortungsvoller Bürger stellt sie im Selbstbewußtsein ihrer Macht dem ausbrechenden gesellschaftlichen Chaos ihre eigene autonome und vernünftig geordnete Welt gegenüber. Der literarische Ordnungsversuch korrespondiert so mit der relativen Festigung der politischen und wirtschaftlichen Verhältnisse in Florenz während der Zeit, in der Boccaccio das »Decameron« verfaßte (ca. 1349—1351).

Der vom Autor direkt und in den Gesprächen des Rahmens explizierten Ideologie natürlicher und vernünftiger Ordnung entspricht das implizit Ideologische der Rahmenstruktur: die symbolische Architektur und Natur (E. G. Kern, 1951), die runde Zahl der Teilnehmer (zehn), die sich asymmetrisch aus zwei geheiligten Zahlen zusammensetzt (sieben Frauen, drei Männer), ihre regelmäßige Ablösung in der Leitung, die strenge Ordnung eines jeden Tages, die numerische Beschränkung auf hundert Novellen und ihre gleichmäßige Aufteilung auf zehn Tage, ihre thematische Bindung und der gehobene Stil des Rahmens im Kontrast zum gemischten der Novellen (E. Auerbach, 1946). Der Tatsache, daß es sich bei Boccaccios Ideologie um keine heteronome, starre, sondern um eine freiwillige und vernünftig selbstgewählte Ordnung einer auf bürgerliche Schichten beschränkten Demokratie handelt (H.-J. Neuschäfer, 1969, Kap. VII), trägt die Makrostruktur dadurch Rechnung, daß Dioneo mit seinen Novellen ›aus dem Rahmen fallen‹, daß Licesca und die Szene im Valle delle Donne die Ordnung durchbrechen dürfen. Auch die immer wieder im Anschluß an die Erzählungen aufflackernden Diskussionen zwischen den Teilnehmern sind ein ästhetischer Ausdruck dafür, daß die moralische Norm nicht ein für alle Male vorgegeben ist, sondern daß sie autonom erstellt und immer wieder erneut diskutiert wird. Die Kürze und der befriedigende Abschluß dieser Novellenkommentare verrät allerdings einen grundsätzlich vorhandenen Konsens und eine optimistische Einschätzung der Möglichkeiten städtischer Autonomie.

Das wechselnde Gewicht, das dieses Element der Diskussion, das immer wieder Gelegenheit gibt, die aufgestellten Normen zu überprüfen, in Frage zu stellen und sich auf ein gemeinsames Urteil zu einigen, im Verlauf der Geschichte des Novellen-Rahmens gewinnt, weist besonders offensichtlich auf das Ideologische der Rahmenstruktur hin; seine Ausgestaltung bei späteren Novellenautoren wird das bestätigen.

Als wesentlichste historische Bedingung für die Gestaltung einer Rahmenerzählung kann nicht die existenzielle Notsituation (W. Segebrecht, 1975, S. 300) angesehen werden, denn diese allein ist nicht hinreichend zur Schaffung eines Rahmens, wie die Novellensammlungen von Sacchetti oder Bandello belegen. Entscheidend ist vielmehr das politische Selbstbewußtsein der vom Autor repräsentierten Schicht, die den Mut haben muß, in einer solchen Notsituation einen (erneuten) Ordnungsversuch zu unternehmen. Daher darf man den Rahmen nicht nur restaurativ sehen, sondern muß auch seine utopischen Komponenten erkennen. So kann die Harmonie des Boccaccesken Rahmens mit guten Gründen sowohl als eine herrschaftsfestigende Selbstrechtfertigung einer Oberschicht angesichts einer weit davon entfernten Wirklichkeit (P. Brockmeier, 1972, S. IX) als auch als ein über die Wirklichkeit hinausweisender Entwurf interpretiert werden (M. Olsen, 1976, S. 108).

Die meistzitierte Ausgabe des »Decameron« ist nach wie vor die kommentierte von V. Branca (1950/52; zitiert nach der zweiten, durchgesehenen Auflage von 1965), in der die gesamte Forschung zur Biographie Boccaccios, seinen Quellen und zur Textüberlieferung des »Decameron« eingearbeitet und dokumentiert ist. 1976 erschien allerdings eine ebenfalls von V. Branca besorgte kritische Ausgabe der vermutlich letzten eigenhändigen Redaktion des »Decameron« durch Boccaccio selbst (nach dem Berliner Kodex Hamilton 90), die auch der kommentierten, den neuesten Forschungsstand berücksichtigenden Ausgabe im 4. Band der Gesamtausgabe von Boccaccios Werken (ed. V. Branca, 1976) zugrunde liegt.

Boccaccios Wirkung auf die europäische Novellistik kann kaum überschätzt werden (V. Branca, 1958; E. Leube, 1972; C. Pellegrini, 1971; G. Galigani, 1974), die Sekundärliteratur ist daher fast unübersehbar. Bibliographische Angaben und einen fundierten Überblick über die Forschungsgeschichte bieten V. Branca (1939) und E. Esposito (1974) sowie die von P. Brockmeier (1974) herausgegebene Textsammlung. Wichtige Arbeiten zu Boccaccio und eine fortlaufende Bibliographie finden sich in den in loser Folge erscheinenden ›Studi sul Boccaccio« (hg. von V. Branca, Bd. 1 ff., 1963 ff.).

Franco Sacchetti

Man könnte nun einwenden, der florentinische Kaufmann, Schriftsteller und Dichter F. Sacchetti (ca. 1332/34—1400) aus adliger Familie gehöre ebensogut wie der eine knappe Generation ältere Boccaccio der herrschenden Schicht von Florenz an, seine Möglichkeiten zur Wirklichkeitsgestaltung hätten die gleichen sein können und seien es de facto in Form von öffentlichen Ämtern im Dienste der Republik Florenz auch gewesen; also hätte, wenn die anfangs aufgestellte These stimmen soll, auch Sacchetti seiner Sammlung, wenn nicht einen identischen, so doch einen in der Funktion ähnlichen Rahmen geben müssen. Jedoch ohne individualpsychologische Unterschiede oder auch solche der schriftstellerischen Fähigkeiten leugnen zu wollen, ist die in wichtigen Punkten verschiedene historische Situation der beiden zeitlich und örtlich benachbarten Autoren festzuhalten: Während Boccaccio sein »Decameron« auf dem Höhepunkt seines Ruhmes schreibt, mit ehrenvollen politischen Aufträgen betraut wird, trotz der Bardi-Pleite keine schwere finanzielle Not kennt, und die Republik Florenz in den Fünfzigerjahren des 14. Jh.s eine relative Stabilität wiedergewonnen hat, schreibt Sacchetti seine »Trecentonovelle«, nachdem Florenz durch Hungersnot, kostpielige Kriege gegen den Papst und die blutigsten Klassenkämpfe seiner kommunalen Geschichte erschüttert (Ciompi-Aufstand 1378; vgl. N. Rodolico, 1971), sein Bruder als Sündenbock für Mächtigere in einem politischen Prozeß zum Tode verurteilt worden war und er selbst einen Großteil von Hab und Gut an Seeräuber und später an brandschatzende Marodeure verloren hatte (L. Di Francia, 1902).

In einer Zeit, in der die mächtigsten Familien von Florenz, die sich seit der Zurückdrängung der Arti minori (1382) die Macht teilen, nacheinander versuchen, sich zu alleinigen Signori der Stadt aufzuschwingen (N. Rodolico, 1905) ist die Welt Sacchettis so gründlich in Unordnung, sein Glaube an die Möglichkeiten der bürgerlich-demokratischen Autonomie so erschüttert, daß er auch zu keinem utopischen literarischen Ordnungsversuch in Form eines Rahmens mehr fähig ist. Dem Pessimisten zerfällt die Welt in ein Chaos sich widerstreitender Partikularinteressen, in eine ungegliederte Masse von anekdotischen Detailbeobachtungen, er ist daher, abgesehen von einigen an einem einzigen Helden (z. B. Messer Dolcibene) aufgehängten Novellen, unfähig, dieses Chaos zu strukturieren. Es fehlt bei Sacchetti nicht nur die Rahmenfiktion und die dazugehörige Kommentierung der einzelnen Novellen durch verschiedene Meinungen, sondern es fehlt auch eine numerische und thematische Gliederung. Statt dessen versucht er, oft widersinnig, am Ende jeder einzelnen Novelle meist mit formelhaften Wendungen wie »e così ...« eingeleitet (C. Segre, 1952) wenn schon keinen übergreifenden Sinn des Weltgeschehens, so doch wenigstens eine Einzelerfahrung zu einer ›Moral‹ zu verallgemeinern.

Von der um 1392 begonnenen Sammlung der »Trecentonovelle« (ed. E. Faccioli, 1970, mit Biographie, Bibliographie und Texterläuterungen) sind 220 zum Teil fragmentarische Novellen überliefert.

Giovanni Sercambi

G. Sercambi (1348—1424) schrieb seine 156 unvollständig überlieferten Novellen (ed. G. Sinicropi, 1972) etwa zur gleichen Zeit (ab 1399/1400) wie Sacchetti und trotzdem bringt er es fertig, seine Sammlung mit einer eng an Boccaccio angelehnten Rahmenerzählung zu versehen. Ist der eingangs begründete Zusammenhang zwischen literarischer Form und geschichtlichen Bedingungen stichhaltig, so müßte der soziohistorische

Kontext trotz der zeitlichen und räumlichen Nähe wiederum wesentlich anders sein als bei Sacchetti, da die Novellentradition für beide etwa die gleiche ist. Allerdings lebte der aus großbürgerlicher Familie stammende Sercambi in Lucca und nicht in Florenz und gehörte dort zu den entscheidenden Männern bei der Ablösung der bürgerlich-oligarchischen Stadtrepublik durch die Signoria. Er selbst unterstützte als höchster Beamter der lucchesischen Republik, als Gonfaloniere di Giustizia, den Staatsstreich der Guinigi, der diese 1400 zu absoluten Herren der Stadt machte.

Die Rahmenerzählung ist nicht nur ihrem ausdrücklichen ideologischen Inhalt nach ein Abbild des Signorats (»uno eccelentissimo omo e gran ricco« sagt dem Volk, es brauche eine ordnende Hand, und es stimmt begeistert zu!), sondern es fallen im Vergleich zu Boccaccio die früher festgestellten strukturellen Merkmale eines kommunalen Selbstbewußtseins im Rahmen weg: die runde Zahl und das harmonische Zahlenverhältnis der Erzählergesellschaft des »Decameron«, die aus selbstverantwortlichen, mit Namen genannten Individuen besteht, weicht dem Verhältnis eines Befehle erteilenden (»ordinò«, »commandò«, »dispuose« etc.) Vorgesetzten zu einer unbestimmten, keine Individualität entfaltenden Menge. Sercambi ersetzt Harmonie und Stabilität des äußeren Dekors (der Architektur wie auch der Natur) durch ein ziemlich zielloses Umherirren durch Italien, willkürlich aneinandergereihte Reisestationen, die allein durch den »preposto« festgesetzt werden; langweilige Befehle von oben an einen einzigen »Berufserzähler« (»altore«) der eine ungegliederte Kette von Tagen lang pro Tag eine Novelle erzählt, lösen die selbstgegebene thematische und zahlenmäßige Ordnung bei Boccaccio mit den großzügig zugestandenen Abweichungen Dioneos und dem wechselnden, individuellen, eigenverantwortlichen Erzählen ab.

Im Gegensatz zum »Decameron«, wo die Tätigkeit der harmonischen Ordnungsstiftung sich vom realen Anlaß der Pest loslöst (nachdem das Ziel der fiktiven Ordnung erfüllt ist, kehrt die »brigata« nach Florenz zurück ohne Rücksicht auf die dort immer noch wütende Pest), flieht die Gesellschaft bei Sercambi vor der Pest und kehrt nicht eher heim, als bis die Epidemie abgeklungen ist. Folgerichtig handelt es sich bei dem ganzen Unternehmen der Rahmenhandlung auch nicht um ein selbstbewußtes Auflehnen der ordnungsstiftenden »ragione« gegen das blindwütige Chaos, das ja trotz allem ›gottgewollt‹ ist, sondern um eine schuldbewußte Sühnewallfahrt, die zum

Ziel hat, für die eigenen Sünden zu büßen und Gott zu versöhnen — ein Gedanke der Boccaccio völlig fern liegt.

Sercambi und die von ihm repräsentierte Stadtgesellschaft Luccas kann um 1400 — wie übrigens früher oder später die meisten italienischen Stadtrepubliken — dem Chaos der sich widerstreitenden internen und externen Interessen keinen autonomen Entwurf harmonischen Zusammenlebens und allgemein natürlich-vernünftiger Ordnung mehr gegenüberstellen wie noch fünfzig Jahre früher Boccaccio in Florenz. Sie flüchten sich ohnmächtig in die Diktatur des Signore und der Religion, die ihnen alle Sorgen abnehmen — bei Sercambi allerdings bezeichnenderweise auch gleich schon zu Anfang der Wallfahrt das Geld und die Gelübde der Keuschheit und des Gehorsams — und die auch der Literatur den ihr gebührenden, untergeordneten Platz zuweisen. Der Autor hat nur auf Anordnung und dann ohne Widerrede zu erzählen: »E pertanto io comando senz'altro dire che ogni volta che io dirò: ›Autore, dì la tal cosa‹, lui senz' altra scusa la mia intenzione ⟨segua⟩« [...] »senz' altro dire comprese [der Autor], che lui dovea esser autore di questo libro; e senz' altro parlare, si stava come li altri cheto.«; — »Und daher befehle ich kurzerhand, daß jedesmal wenn ich sage: ›Autor, erzähle uns dies oder jenes‹, er ohne weitere Ausflucht meinem Wunsch folge« ... »er verstand ohne weiteres, daß er der Autor dieses Buches sein sollte; und ohne etwas dazu zu sagen, verhielt er sich still wie die anderen.« Literatur hat keine gesellschaftsordnende, sondern nur noch unterhaltende Funktion.

Bei Sercambi charakterisiert und verdeutlicht die ideologische Struktur des Rahmens die explizite Ideologie der Rahmenerzählung. Der starke Ordnungswille, den Sercambi auch in seinen politischen Schriften (»Nota ai Guinigi«, 1392) propagiert und der seine politische Verwirklichung in der Signorie der Guinigi findet, läßt den Rahmen zu einem treuen Abbild einer Signorie werden. Die autoritäre Zucht des Preposto schafft eben keine harmonische Makrostruktur einer Novellensammlung, sondern nur eine langweilige Mechanik von Tagesabläufen, die von Befehlen und ihrer Ausführung gekennzeichnet sind. Die Struktur der Rahmenerzählung wie auch die der Signorie ist auf äußeren Zwang und Willkür, nicht auf den Konsens der Erzähler bzw. Mitbürger gegründet, daher ist zwischen den Zuhörern auch keinerlei Platz für Diskussionen zumal der Sinn des Erzählten in der Art mittelalterlicher Exempelsammlungen in einer lateinisch abgefaßten Überschrift (etwa: »De tyranno ingrato«) noch vor der italienischen festgeschrieben wird. Der Rahmen zwischen den Novellen schrumpft auf ein Minimum: der Preposto, nicht die Schar der Zuhörer, gibt ein kurzes Urteil ab und befiehlt bis zur folgenden Station die nächste Novelle. Obwohl oberflächlich gesehen eine sklavische Imitation des »Decameron«-Rahmens vorliegt, zeigt eine genauere Untersuchung der Personen- und Handlungsstruktur, daß er sich unter dem Einfluß des soziohistorischen Kontextes wesentlich in seiner Bedeutung verändert hat: statt Ausdruck der Autonomie einer sozialen Schicht — bei Boccaccio die des Popolo grasso — zu sein, korrespondiert er lediglich der ›Autonomie‹ eines Händlers, der sich aus freien Stücken in die Abhängigkeit eines Signore begibt, in der Hoffnung, seinen ökonomischen Vorteil daraus zu ziehen und sich Macht und Einfluß zu sichern. Wie prekär seine Sache allerdings ist, geht daraus hervor, daß er mehrfach auf das Thema der Treue gegenüber den wahren Freunden zurückkommt, die die Herrschenden zu vergessen pflegen, sobald sie an der Macht sind.

In einem solchen politisch-sozialen Kontext entspricht die *durchgeführte Rahmenerzählung*, die die ganze Sammlung strukturierend durchdringt, keiner gesellschaftlichen Wirklichkeit mehr und macht einer bloßen *Einrahmung* Platz, die die erzählten Geschichten rein äußerlich zusammenhält und in entfernter Erinnerung an Boccaccio wenigstens einen Erzählvorwand liefert. Die wesentliche Funktion der »Decameron«-Rahmenerzählung, die vielfältigen fiktiven Realitätspartikel in Form einzelner Novellen ästhetisch vermittelt in eine harmonische, auf Gleichberechtigung und Selbstbestimmung des Einzelnen gegründete Gesellschaft einzubetten und das Zusammenleben durch Diskussion und vernünftiges Abwägen der Partikularinteressen zu ordnen, geht verloren; übrig bleibt die sinnentleerte, äußerliche literarische Tradition, daß eine ordentliche Novellensammlung einen Rahmen brauche.

Giovanni Fiorentino

Der Rahmen zum »Pecorone« (abgefaßt 1378—1385; gedr. 1558, ed. E. Esposito, 1974) des Ser Giovanni, aus dessen Biographie man nur soviel weiß, daß er wohl 1378 im Gefolge des Ciompi-Aufstands aus Florenz verbannt wurde, zeigt diese Tendenz zur bloßen Einrahmung; wenn man nicht in dem zärtlichen, wenn auch wohlanständigen täglichen Treffen des Kaplans und der von ihm angebeteten Nonne eine Art »Hals-erzählungs-Rahmen« (A. Jolles, 1921) sehen will, der die Protagonisten von einer unmöglichen Liebe heilt. Diese von Boccaccio überwundene Art des Märchenrahmens entspricht wiederum dem Inhalt der Sammlung (25 Tage à 2 Novellen plus 3 aus anderen Manuskripten), der sich der Abenteur- und Märchen-Novelle annähert (s. u. S. 108 f.).

Seit mit der Refeudalisierung im 15. und 16. Jh. die Mitwirkungsmöglichkeiten breiterer bürgerlicher Kreise bei der politischen Machtausübung zugunsten der Signori verloren gingen und die Autoren nur noch als Höflinge italienischer Fürsten dienende und dekorative Funktionen ausüben, seit sie völlig von der Gunst der Duodezfürsten abhängig sind, wird auch der Rahmen zum bloßen Zierat und verzichtet auf die ästhetische Gestaltung eines gesellschaftlichen Modells.

A. Grazzini — G. Straparola

Ein gutes Beispiel für diesen Vorgang der äußerlichen, autoritären und nicht mehr großbürgerlich-demokratischen Ordnungsstiftung der italienischen Sammlungen vor allem des 16. Jh.s bietet etwa Anton Francesco Grazzini, gen. il Lasca (1503—1584), der in seinen »Cene« (erst im 18. Jh. gedruckt; ed. R. Bruscagli, 1976) eine Schneeballschlacht mit anschließendem Dauerregen zum Erzählvorwand nimmt und dann in drei Tagen, die trotz Karneval in eher bedrückender Atmosphäre ablaufen, seine Erzählungen der Länge nach (!) ordnet. Grazzini schreibt seine »Cene« in einer Zeit (ca. 1543—1550), in der die letzten republikanischen Institutionen endgültig in die Gewalt der Medici geraten und sich Florenz unter Cosimo zu einem zentralistischen, absolutistischen und bürokratischen Staat entwickelt, der die Opposition grausam unterdrückt und auch die Kultur in seine Dienste zwingt. 1542 wird in diesem Zusammenhang die von Lasca mitbegründete Accademia degli Umidi als Accademia Fiorentina gegen seinen erbitterten Widerstand in ›Staatsaufsicht‹ übernommen (M. Plaisance, 1972). Als weiteres wichtiges Beispiel mag G. F. Straparola (1480—1557) dienen, der in seinen »Piacevoli notti« zwei verbannte Mitglieder der Mailänder Herrscherfamilie Sforza in Murano zehn ihrem Rang nach nicht näher bestimmte Gesellschafterinnen mit Geschichtenerzählen im Kreise einer erlauchten und gebildeten, aber heterogenen Runde beauftragt. Das Reihum-Erzählen in einer gleichberechtigten Gesellschaft, das gleichzeitig ideales Abbild bzw. eine Neuschöpfung ihrer moralischen und politischen Welt darstellt, wird wie schon bei Sercambi zugunsten einer statischen hierarchischen Gliederung dieser Gesellschaft aufgegeben, die, nur entfernt von den zeitgenössischen historischen Ereignissen berührt, das Erzählen neben Tanzen und Singen als berufsmäßig betriebene Unterhaltung einstuft. An dieser Einschätzung ändert auch die Tatsache nichts, daß sich am 13. Tag die herrschaftlichen Zuhörer selbst zu einer abschließenden kurzen »favola« herablassen.

Die glatte Konventionalität des Rahmens steht in einem gewissen Gegensatz zum eher volkstümlichen Ton der Novellen und die Fragwürdigkeit der Rahmenkonstruktion wird betont durch die am Ende jeder Novelle angefügten Rätsel (M. De Filippis, 1947). Diese Rätsel verbergen nämlich nicht, wie man vielleicht erwartet hätte, eine obszöne Bedeutung unter harmlosem Gewand, sondern eine eindeutige Obszönität wird harmlos gedeutet. Das ungehemmte Selbstbewußtsein in Fragen der Moral ist zur Zeit des Konzils von Trient einer scheinheiligen aber nur die Fassade wahrenden Haltung gewichen.

Leider ist über Straparolas Leben so gut wie nichts bekannt, außer daß er in den letzten Jahren des 15. Jh. in dem zum venezianischen Machtbereich gehörenden Caravaggio geboren wurde und seine Werke in Venedig publizierte. Die beiden Ausgaben der »Piacevoli Notti« (1. Buch 1550, 2. Buch 1553) von G. Rua (ed. maior 1899–1908 mit Quellenstudien; ed. minor 1927, repr. 1975 mit einem Vorwort und einer Bibliographie von M. P. Stocchi) haben neben einer unwissenschaftlichen Textgestaltung besonders den Nachteil, daß sie, vom Anfang des ersten Tages abgesehen, die Rahmenerzählung mitsamt den auf die Novellen folgenden Rätseln unterschlagen (im Anhang der ed. M. P. Stocchi, 1975 werden wenigstens die Rätsel ergänzt). Das Werk erlebte zahlreiche Auflagen (vgl. G. Rua, 1898) und wurde schon früh (1. Teil 1560 v. J. Louveau, 2. Teil 1572 von P. de Larivey) ins Französische (I. Liebe, 1948) und Spanische (1583; vgl. Menédenz y Pelayo, 1905 ff. II, S. XXV) übersetzt. Die 74 Novellen setzen sich aus 12 Tagen à 5 Novellen und dem 13. Tag mit 13 Novellen zusammen; außerdem ersetzte Straparola die favola VIII, 3 in einer späteren Ausgabe aus moralischen Gründen durch eine andere. Im zweiten Teil stammt eine Mehrzahl der Novellen fast wörtlich aus den lateinischen »Novellae« (1520) des G. Morlini.

Um einen Eindruck vom Umfang und der Variationsbreite der traditionellen Einrahmung zu vermitteln, seien noch einige Beispiele angeführt: *Sabadino degli Arienti* (»Le Porretane«, 1478, gedr. 1483;

ed. G. Gambarin, 1914) schickt seine höfische Erzählgesellschaft ins Bad nach Poretta; die Erzähler von *G. Forteguerris* »Novelle« (1556/62; ed. 1882) laden den Autor aufs Land ein. *Giraldi* läßt in den »Hecatommithi« (1565, ed. 1833) seine adligen Herren und Damen vor dem Sacco di Roma nach Marseille fliehen, *S. Erizzo* in den »Sei Giornate« (1567; ed. G. Gigli/F. Nicolini, 1912) sechs Studenten gemeinsam in einer sommerlichen Villa speisen und erzählen. *S. Bargagli* nimmt in den »Trattenimenti« (verf. vor 1569; gedr. 1587) die Belagerung von Siena (1553/4) und *C. Malespini* in den »Duecento Novelle« (1599) die Pest von Venedig (1576) als Erzählanlaß.

In Frankreich erscheint der Konversationsrahmen als Zeitvertreib von Landadligen bei *J. Yver* (»Le Printemps« 1572; s. u.) und von Studenten bei *B. Poissenot* (»L'Esté«, 1583); in Spanien bei *Gaspar de Lucas Hidalgo* (»Diálogos de apacible entretenimiento«, 1605; ed. A. de Castro, 1871) wie schon früher bei Lasca als abendlicher Zeitvertreib zur Karnevalszeit und bei *A. de Eslava* (»Noches de invierno«, 1609; ed. L. M. G. Palencia, 1942) als Seniorenrunde.

Die Reihe ließe sich mit Beispielen aus dem 17. Jh. noch beliebig vermehren. Allen diesen Einrahmungen ist die Äußerlichkeit des Erzählanlasses gemeinsam, die sie von ihrem Vorbild, dem »Decameron«, grundsätzlich trennt.

Die Fülle des bis jetzt ausgebreiteten Materials verlangt nach einer ersten Überprüfung der methodischen Prämissen auf ihre Brauchbarkeit. Eine mechanische und unvermittelte Zurückführung der Rahmenerzählung auf die historischen Verhältnisse ist unmöglich, deshalb sind die Beziehungen zwischen den beiden jedoch nicht weniger eng. Die Rahmenerzählung spiegelt nicht die Wirklichkeit zur Zeit des Schriftstellers wider, sondern seine — durchaus von der Realität geprägte — Vorstellung von der Ordnung der Welt, sei es als Beschönigung, Rechtfertigung oder auch als kritische Utopie. Die Vorstellungen von dieser Weltordnung können allerdings weit differieren. Sie reichen von der großbürgerlich-kommunalen, einer relativ breiten bürgerlichen Schicht Autonomie gewährenden Verfassung der Republik Florenz um die Mitte des 14. Jh.s bis zu den autoritären und absolutistischen Regimes der italienischen Fürsten sowie der französischen und spanischen Könige im 16. Jh. Die Auswirkungen dieser ganz gegensätzlichen Formen gesellschaftlichen Zusammenlebens lassen sich erst in der feineren Analyse der Strukturmerkmale des Rahmens erkennen. Sie wurden als die Entwicklung einer die gesamte Sammlung harmonisierenden Struktur (Boccaccio) zu einer bloß äußerlichen Einrahmung beschrieben. Der Rahmen bleibt als ›eigengesetzliche‹ literarische Tradition zwar erhalten, aber der spezifischen, von der kommunalen Ideologie bedingten Strukturmerkmale geht er verlustig. Statt aus einem unglücklichen Erzählanlaß — soweit ein solcher nicht überhaupt durch einen harmlosen Passetemps ersetzt wird — die Kraft zu einer gesellschaftsbildenden Utopie zu schöpfen, erreicht das Novellenerzählen das bloße Unterhaltungs- und Konversationsniveau innerhalb einer Hofgesellschaft mit hauptamtlich angestellten Narren und Intellektuellen, die sich durch Witz, Erfindungsgabe und Kunstfertigkeit gegenseitig in der Gunst ihres Herrn und Gönners auszustechen versuchen (vgl. W. Pabst [2]1967, S. 81 zu Castigliones »Cortegiano«).

Die in der Novellenforschung häufig sinngemäß anzutreffende Formulierung ›Rahmen in der Art Boccaccios‹ verfehlt das Wesen und die spezifische Bedeutung dieser Rahmenerzählung, da sie durch die einmalige Situation der Stadt Florenz und des Autors in gerade dieser Gesellschaft bestimmt ist. Selbst wenn nicht jede historische Veränderung, sondern nur die entscheidenden Umwälzungen, wie diejenige von der Republik zur Signorie, relevante Veränderungen im ästhetischen Bereich auslösen, so weisen doch auch sogenannte epigonale Nachahmungen meist ein Minimum an Innovationen auf, die ihre Entsprechung und ihren Grund in der veränderten Situation finden. Unter einem solchen Gesichtswinkel verdienten die oben aufgeführten Rahmenerzählungen eine detailliertere Analyse.

Es gibt allerdings Schriftsteller, die zur gleichen Zeit wie die epigonalen Nachahmer des Boccaccio-Rahmens lebten und die ihren Eindruck von der Wirklichkeit und ihre Antwort auf sie in anderen ästhetischen Formen vermittelten. Offenbar machte ihnen die unter der autoritären kirchlichen und weltlichen Ordnung rumorende Unordnung einen nachhaltigeren Eindruck, so daß sie die literarische Rahmentradition trotz des Prestiges des »Decameron« Tradition sein ließen und neue literarische Lösungen suchten. Sieht man in einer adäquaten ästhetischen Verwirklichung einer spezifischen historischen Situation ein Element der Wahrheit und ein Kriterium dichterischer Qualität, so wird das Urteil der Nachwelt über Poggio, Bandello und Cervantes durch die vorliegende Analyse bestätigt.

Bevor wir uns den Innovationen des Rahmens zuwenden, die zu seiner schließlichen Aufgabe führen, sei noch kurz die die Regel bestätigende Ausnahme besprochen: Marguerite de Navarre.

Marguerite de Navarre (1492—1549) erfüllt durch ihre für einen Autor außergewöhnliche soziale Stellung die wichtigste Bedingung für einen in der Realität des Autors fundierten eigenen Ordnungsversuch in der Rahmenerzählung auch noch im refeudalisierten 16. Jh.: sie hat politische Macht und übt sie als Ratgeberin ihres königlichen Bruders, Franz I., und an ihrem eigenen Hof als Königin von Navarra auch aus.

Die nach dem Tode der Autorin (1549) unvollendet gebliebene Sammlung wurde 1558 ein erstes Mal fehlerhaft und unvollständig von P. Boaistuau unter dem Titel »Histoire des Amants Fortunez« herausgegeben. Da von den ursprünglich geplanten zehn Tagen nur knapp sieben (72 Novellen, denen in der zitierten Ausgabe von P. Jourda, 1965, noch fünf weitere angefügt sind) ausgeführt wurden, nennt C. Gruget seine verbesserte Neuausgabe (1559) »Heptaméron«.

Man könnte zunächst versucht sein, Marguerite unter die epigonalen Nachahmer der Konversations-Einrahmung einzureihen, gäbe es im Rahmen des »Heptaméron« nicht einige signifikante Neuerungen.

Das Hochwasser, das die Erzählerrunde der adligen »Devisants« (fünf Männer und fünf Frauen) in den Pyrenäen zusammenführt, hätte durch die Wahl eines anderen Heimwegs durchaus umgangen werden können und ist nur bedingt gesellschaftsgefährdend im Vergleich zur Pest in Florenz. Es hält sich nämlich streng an die geltende Sozialordnung, indem es nur die Diener und Pferde Oisilles und Symontaults ertränkt, aber nicht die Herren; das gleiche gilt für die Bären, die Nomerfide und Ennasuite angreifen. Auch die Räuber, die Hircan, Parlamente und Longarine überfallen bzw. Geburon verfolgen, bezahlen auf der Stelle ihre Freveltat mit ihrem Leben. Selbst der Tod des mit keinem Namen gewürdigten Ehemanns von Longarine bei dem Gefecht bringt keine besondere Unruhe in die Gesellschaft, denn ihr »serviteur« steht schon bereit, sie zu verteidigen. Die Welt ist nur sehr am Rande in Unordnung und es genügt Geld (zum Brückenbau) und ein wenig Geduld (bis zur Fertigstellung), damit alles wieder ins Lot kommt: »Ennasuite toute en ryant, lui respondit: ›Chascune n'a pas perdu son mary comme vous, et pour perte des serviteurs ne se fault desesperer, car l'on en recouvre assez‹.« (ed. P. Jourda, 1965, S. 706).

Auch die für das »Decameron« so wichtige Gleichheit der Erzähler existiert im Rahmen des »Hauptaméron« nicht, die

Vorrangstellung Oisilles, Hircans und Parlamentes bleiben immer spürbar, selbst wenn *im Spiel* (S. 710) angeblich alle gleich sind. Ebensowenig gleichberechtigt sind die Personen der Novellenhandlung. Das Standesdenken (P. Brockmeier, 1972) der Rahmenerzählung wird in den Novellenkommentaren bestätigt: Die Tränen, die die hochadeligen »devisantes« über die tugendhafte Muletiere der zweiten Novelle vergießen, die sich lieber umbringen läßt, als ihrem Diener zu Willen zu sein, trocknen schnell, da sie in ihren Kreisen der Devise huldigen: »le scandalle est souvent pire que le péché« (Diskussion über Nov. 25). Auch die göttliche Gnade, die dieser Frau in Form glorreicher Tugend erwiesen wurde, scheint in der Gesellschaft der Devisants nicht hoch im Kurs zu stehen, denn sie überlegen sich in blasphemischer Gedankenspielerei auf die Frage Parlamentes, ob sie etwa auf Gott und Gesetz verzichten wollten, wenn sie nicht ihren Wünschen entsprächen, ob man sich nicht einen neuen Gott schaffen könne, dessen Vergnügen das Vergnügen der Menschen sei.

Interessanter als diese offensichtlichen und expliziten ideologischen Veränderungen, die die Welt der Natur der human geordneten Welt nicht als übermächtige und gesellschaftszerstörende Gewalt (Pest), sondern als durchaus technisch bezwingbar und sogar die gesellschaftliche Hierarchie respektierend gegenüberstellt, sind die der Rahmenstruktur impliziten: Die Ausweitung der Diskussionen am Ende jeder Novelle belebt die Rahmenfiktion erneut und bringt sie in einen unmittelbaren Zusammenhang mit den einzelnen Novellen, im Gegensatz zu jener Entwicklung des Rahmens, die zu einer bloß äußerlichen Einrahmung tendierte. Der durch den Rahmen repräsentierte Ordnungswille und die Ordnungsmacht Marguerites stoßen allerdings im 16. Jh. trotz ihrer Stellung auf größere Schwierigkeiten als zu Zeiten Boccaccios; bezeichnenderweise wird nämlich von Marguerite dasjenige strukturelle Element verstärkt, das bei Boccaccio noch eine untergeordnete Rolle im großen harmonischen Gesellschaftsentwurf spielte: die Diskussion. Sie bleibt im Gegensatz zum Rahmen des »Decameron« bei Marguerite als Ausdruck für die Verunsicherung im ideologischen Bereich oft ohne Konsens innerhalb der Erzählerrunde und unterscheidet sich damit auch wesentlich von den bloß kommentierenden, moralisch eindeutigen Konversationsrahmen der nachtridentinischen italienischen Sammlungen. Denn trotz der frühabsolutistischen Machtfülle des französischen Königs ist die herrschende Ideologie alles andere als gefestigt: die Spannungen zwischen den sich neu formierenden sozialen Gruppen, Feudaladel, König, Bürgertum drohen das Land religiös zu spalten und die außenpolitischen Wechselfälle des Kampfes mit Habsburg sorgen für andauernde Unsicherheit. Die herrschende Schicht im republikanischen Florenz um 1350 verfügte über ein Weltbild, das, wenn es auch nicht mehr die Geschlossenheit des heteronomen christlich-feudalen Ordo aufwies, so doch als im Vertrauen auf vernünftige Natürlichkeit gefestigt und auf einem Kanon großbürgerlich-adliger Tugenden ruhend gedacht werden konnte. Die umwälzenden Erfindungen und Entdeckungen vom 15. zum 16. Jh., die Umwandlung von einer feudalen in eine absolutistische Staats- und Gesellschaftsordnung führten zu einer derartigen Verunsicherung aller, besonders der moralischen Normen, daß sich im »Heptaméron« nicht einmal mehr die engsten Vertrauten des königlichen Hofes — betrachtet man die ›devisants‹ wohl mit einigem Recht als verschlüsselte Personen (P. Jourda, 1930; J. Palermo, 1969) — über die Beurteilung der erzählten Ereignisse einig sind.

Marguerites »Heptaméron« ist dadurch in mehrfacher Hinsicht interessant. Ihre geistesgeschichtlich vom Neuplatonismus (L. Febvre, 1944; P. de Lajarte, 1972) und der Reformation (V.-L. Saulnier, 1959; H. Heller, 1971), politisch vom Frühabsolutismus ihres Bruders Franz I. geprägte Ideologie versucht die Realitätspartikel in Form von Novellen als Beweismittel für diese Ideologie zu verwenden. Zu diesem Zweck ist aber die traditionelle Novellenform der Schwank Novelle, die der kommunalen Ideologie entspringt, (s. 4.2.) ungeeignet; im Gegensatz etwa zur Beispiel-Novelle (J. M. Baker, 1971), die aufgrund eines Minimums an narrativer Ausgestaltung die Überprüfung der Ideologie durch die Realität unmöglich macht. Marguerite begegnet nun diesem Konflikt zwischen Novelle und Ideologie zweifach. Sie innoviert zum einen die Novellenform in Richtung auf die Abenteuer-Novelle (D. Stone, 1967; s. auch 4.3), die der heteronomen Bestimmung des Menschen entspricht, und zum anderen thematisiert sie den Konflikt im Rahmen, in der Diskussion zwischen den Teilnehmern der Erzählerrunde. Ihr Dissens zeigt das Scheitern von Marguerites Absicht, die Authentizität und den Wahrheitsanspruch, sprich: den Realismus ihrer Novellen, in den Dienst ihrer Ideologie zu stellen (P. de Lajarte, 1975). Montaigne wird wenig später den eingeschlagenen Weg ideologisch (M. Tetel, 1972) und literarästhetisch konsequent weitergehen, indem er den Idealismus durch Skeptizismus, die Novelle durch das Exempel und den Rahmen durch den ›Essai‹ ersetzt.

Der Ernst und die Grundsätzlichkeit der Rahmendiskussion im »Heptaméron« ist mit dem unverbindlichen Konversationsrahmen (s. o.) nicht zu vergleichen und geht auch in seiner Problematik über die Erweiterung des Rahmens durch moralische und literaturtheoretische Diskussionen hinaus, die schon in A. Firenzuolas (1493—1543) »Ragionamenti« (Fragment ca. 1523/25, posth. publiziert 1548; ed. E. Ragni, 1971) und in G. Paraboscos (ca. 1524/1557) »Diporti« (1550, ed. G. Gigli/F. Nicolini 1912) begegnet.

H. Estienne — G. Bouchet — de Cholières — J. Tahureau — Béroalde de Verville

Ganz besonders folgenreich war diese Verwendung der Rahmengeschichte zur Diskussion moralischer, religiöser, politischer und gesellschaftlicher Probleme für die literarische Entwicklung der Kurzerzählung in Frankreich, als mit fortschreitender Verunsicherung durch die Religionskriege etwa Autoren wie H. Estienne (»Apologie pour Herodote« 1566, ed. Ristelhuber 1879), G. Bouchet (»Les Serées« 1584/98; ed. C. Royer/E. Courbet 1873/82) und de Cholières (»Les neuf Matinées« 1585, »Les Apresdisnees« 1587, ed. E. Tricotel 1879) ihre Sammlungen schließlich zu großen Traktaten und Diskussionsrunden ausdehnen, in denen die Geschichten gar nicht mehr narrativ ausgestaltet und eigenwertig erzählt werden, sondern nur als ganz kurze Belege für die in die Diskussion geworfenen Meinungen fungieren. Die Rahmenfiktion überwuchert die Novellen und reduziert sie formal wieder zu Beispiel-Novellen, im Unterschied zu den rahmenlosen mittelalterlichen Exemplasammlungen allerdings umgeben von meist ziemlich wirren Reflexionen über die verschiedensten Themen (de Cholières »Matinées«: I. De l'or et du fer, II. Des loix et de la medecine, III. Des mains des advocats, IV. Des Chastrez, V. Des laides et belles femmes etc.). Dem durch die politischen und geistigen Umwälzungen des Jahrhunderts orientierungslosen Leser muß die früher innerhalb des mittelalterlichen Ordo selbstverständliche Deutung eines Exempels umständlich im essayistischen Rahmen mitgeliefert werden; um ihn zu überzeugen, wird innerhalb einer traktatähnlichen Erörterung, die sich teils dem Dialog (J. Tahureau, »Les dialogues« 1565, ed. S. M. Gauna 1968/69),

teils dem Symposion (Béroalde de Verville, »Le Moyen de Parvenir« 1610, ed. C. Royer 1896) nähert, Exempel auf Exempel
gehäuft, so daß für eine narrative Ausgestaltung kein Raum
mehr bleibt.

Michel de Montaigne

Ihre Vollendung findet diese Entwicklung in den »Essais«
(verf. ab 1572, hg. ab 1580; ed. A. Thibaudet, 1958) von Michel de Montaigne, der die philosophischen Konsequenzen aus
der historischen Situation zieht. Während sich die erwähnten
essayistischen Schriftsteller in einen neuen Dogmatismus (H.
Estienne) oder in die krampfhafte Suche nach einem ideologischen Halt flüchten, erhebt Montaigne die Unsicherheit zum
Prinzip seiner skeptischen Philosophie (M. Horkheimer, 1938).
Angesichts des religiösen und politischen Chaos der Bürgerkriege und der offenbaren Schwächen der menschlichen Vernunft
versucht er durch einen Rückzug in die Subjektivität die eigene
Würde und die Distanz zu retten. Nicht mehr eine Schar
selbstbewußter und vom Glauben an die vernünftige Natürlichkeit des Menschen beseelter Bürger tritt dem Chaos gemeinsam ordnungsstiftend entgegen, sondern ein einzelner Skeptiker
macht den ›Versuch‹, den gangbarsten Mittelweg durch das
Chaos zu finden. Die eingestreuten beispielhaften Geschichten
bieten keinen Halt mehr, sie sind nur fortwährender Beweis
für die Unmöglichkeit einer eindeutigen und letztgültigen Erkenntnis.

Noël du Fail

Ein überzeugendes Beispiel für die Auswirkungen des gesellschaftlichen Kontextes auf die Gestalt von Kurzerzählungen
und besonders auf das Verhältnis von Rahmen und Erzählung
bieten die Werke des Noël du Fail (ca. 1520—1591). Sie haben
den Vorteil, zeitlich so weit auseinander zu liegen (»Propos rustiques« 1547; »Baliverneries« 1548, ed. P. Jourda 1965;
»Contes et Discours« 1585, ed. J. Assézat 1874), daß die Auswirkungen der veränderten historischen Szenerie ganz offensichtlich werden. In den frühen Werken steht die Ideologie des
standesbewußten Landedelmanns im Vordergrund, der das Rad
der Zeit zurückzudrehen können meint, indem er die angebli-

chen Freuden und die Tugenden des einfachen Landlebens (H. See, 1948, I, S. 133) der städtischen und höfischen Verdorbenheit entgegensetzt.

Dem Vorherrschen dieser expliziten Ideologie entspricht das Übergewicht des Rahmens, der genrehaft das Landleben darstellt. Die eingefügten Erzählungen verfügen kaum über eine geschlossene Handlungssequenz und gipfeln schon gar nicht in einer Pointe, sondern sie sind als eine Art beschreibender Exkurs immer eng mit der Rahmenszenerie verbunden. Sie knüpfen an Personen, Gebräuche, Orte der Rahmenhandlung an und erschöpfen sich in ihrer illustrativen Funktion.

Bis zur Abfassung der »Contes et Discours« hat sich im Leben des Noël du Fail (E. Philipot, 1914) und in der Geschichte Frankreichs einiges geändert. Er selbst ist inzwischen durch eine reiche Heirat und durch Ämterkauf zum Conseiller des Parlement de Bretagne aufgestiegen, und Frankreich wird seit 1562 von den immer wieder aufflackernden Bürgerkriegen erschüttert, die das Land der Willkür mordender und brandschatzender Banden unter wechselnden Fahnen ausliefern.

Dazuhin führen die ökonomischen Umwälzungen und die Standespolitik der Könige zu einer Gefährdung der Interessen des kleineren Adels, zu dem Noël du Fail gehört. Die wachsende Bedeutung des Handelskapitalismus und die Inflation ließen den vom Pachtzins lebenden kleinen Landadel verarmen, die Bevorzugung der reichen Bourgeoisie beim Ämterkauf zum Nachteil des selbstherrlichen Adels entzog ihm eine weitere Grundlage seiner Existenz (G. Procacci, 1955).

Die »Contes et Discours« von 1585 sind weit von dem rückwärtsgewandten Optimismus der frühen Werke entfernt, denn die Erfahrungen, die Noël du Fail inzwischen mit der Realität gemacht hat, fordern ihr Recht. Der Bedeutungszuwachs der eingestreuten Erzählungen innerhalb der Struktur der Sammlung zeugt davon: der Rahmen wird zu einer Diskussionsrunde, die sich mit der in Geschichte umgesetzten Wirklichkeit, sprich: Religion und Klerus, Kreditsystem, Ämtervermehrung und -verkauf und der damit verbundenen Standespolitik kritisch auseinandersetzt und nicht mehr nur ein nostalgisches Bild der Vergangenheit beschwört. Der Rahmen bleibt erhalten, da sich Noël du Fail von Stand, sozialer Stellung und Ideologie her berufen und in der Lage fühlt, ideologisch zu wirken (F. Olivier-Martin, 1927). Der große Anteil, den die Diskussion einnimmt, zeugt allerdings von einer nachhaltigen

Erschütterung des ideologischen Systems durch die Erfahrung der Realität, die sich in den Erzählungen niederschlägt.

G. Tabourot

Eine getrennte Erwähnung verdient noch der Prolog zu den »Escraignes dijonnoises« (von 1588; ed. Colletet, 1866) des Procureur du roy, G. Tabourot (1549—1590); G. Choptrayanovitch, 1935). Er schreibt keine Rahmenerzählung, keine dichtungstheoretische Einleitung, keine Gebrauchsanweisung an den Leser, sondern eine Art kulturhistorisch-ethnologische Anmerkung (»Prologue au lecteur sur l'etymologie du livre«).

Die »Escraignes« sind, wie der Autor erklärt, eine Art Erdhöhle, die jeweils für den Winter errichtet wird, um den Ärmsten, die auf solche Art Licht und Feuer sparen, einen Aufenthaltsraum zum gemeinsamen Spinnen und für andere Handarbeiten zu bieten. Diese ärmsten Bauernmädchen bilden einen diametralen Gegensatz zu Boccaccios »lieta brigata«. Not ist für sie keine Ausnahmesituation wie die Pest, sondern ein Dauerzustand, sie treffen sich nicht zu gehobenem Zeitvertreib, sondern zur Arbeit, ihre Behausung ist nicht mit den Villen und Gärten der Toskana zu vergleichen (»l'architecture ne se trouvera pas en Vitruve ny en des Cerceau«), die Themen bewegen sich auf dem niedrigsten Niveau von Zweideutigkeiten bzw. eindeutig Skatologischem (A. Soons, 1971). Diese Art von Erzählen reizt den Autor, der sich dort verkleidet wie ein Naturforscher einschleicht, der mit wohlwollender Herablassung von außerhalb, eine weit unter ihm stehende Schicht schildert (die »escraignes« werden mit einem »ouvrage d'arondelle« verglichen).

Giambattista Basile

Noch einen Schritt weiter im Abrücken von der eigenen Wirklichkeit und ihrer Gestaltung geht G. Basile (1575—1632), der als Cavaliere zu den unteren Rängen der Adelshierarchie im spanischen Vizekönigtum Neapel gehörte. Sein märchenhafter Rahmen entspricht den davon umrahmten Märchen und gleichzeitig parodiert er das »Decameron«, indem er zehn häßliche Alte an fünf Tagen (daher auch der Titel »Pentamerone«) Märchen in neapolitanischem Dialekt erzählen läßt. Viel konsequenter als Straparola, der trotz heteronomer Bestimmtheit, wie sie sich durch seine hybride Märchen-Novelle verrät, am klischeehaft traditionellen Novellen-Rahmen weitgehend festhält, kehrt Basile für seine Märchensammlung (»Lo cunto de li cunti«, 1634) zu der durch Boccaccio im bürgerlich-kommunalen Selbstbewußtseins überwundenen Form des orientalischen »Halserzählungs-Rahmens« (s. o. S. 22) zurück.

Neben der Teilausgabe im originalen Text (ed. B. Croce, 1891) empfiehlt sich für den im neapolitanischen Dialekt weniger Geübten die Übersetzung ins Italienische von B. Croce (1925), neu herausgegeben und mit Vorwort versehen von I. Calvino (1974). B. Croce (1890) hat auch die umfassendste Studie zu G. Basile vorgelegt.

Über die bisher angeführten Möglichkeiten, die literarische Tradition eines Rahmens auch im 16. Jh. beizubehalten (Innovationen verschiedener Reichweite bis zur eindeutigen Prädominanz des Rahmens über die reduzierten Erzählungen), hinaus bleibt als Anpassung an die veränderte Realität auch noch die Möglichkeit der sukzessiven bis völligen Aufgabe dieses Strukturelements. Statt die einzelnen Novellen zugunsten der Diskussion und des Essayistischen der Rahmenfiktion zurückzudrängen, ist auch der umgekehrte Vorgang denkbar. Der Verlust der Mitwirkungsmöglichkeit und schließlich des Glaubens an eine sinnvolle Weltordnung führt zur Reduktion bzw. zur Aufgabe der Rahmenerzählung; die Welt zerfällt in ein Chaos von Realitätspartikeln; die alle Novellen einer Sammlung umgreifende Ideologie, die sich stark genug fühlt, die Wirklichkeits-Probe narrativer Ausgestaltung zu bestehen, wird ersetzt durch diskursive Rahmenformen, in denen der Autor selbst zum Leser spricht, oder konsequent als diskursiver Einschub in die Novelle selbst verlegt. Ein Zeichen dafür, daß das Zusammenspiel der schriftstellerischen Individualität mit der literarischen Tradition sehr unterschiedliche adäquate Antworten auf die historische Realität zuläßt.

Matteo Bandello

Bandello (1485—1561) verwirklicht in seinen »Novelle« (ed. F. Flora, [3]1952) eine erste Stufe auf dem Weg zur Eliminierung des Rahmens. Während seine Zeitgenossin Marguerite de Navarre an der Schaltstelle einer europäischen Großmacht lebte, war Bandello als abhängiger Höfling an einem der vielen Fürstenhöfe eines Volkes tätig, das inzwischen mehr denn je zum Spielball europäischer Machtinteressen wurde. Waren zur Zeit Boccaccios die italienischen Stadtrepubliken und ihre Bürger trotz ihrer nominellen Zugehörigkeit zum Imperium weitgehend autonom, waren auch im 15. Jh. die Konflikte noch vorwiegend inneritalienisch, so ändert sich das Bild im 16. Jh. entscheidend. Frankreich verfügt nach der Beendigung des Hundertjährigen Krieges über eine gestärkte Zentralmacht und sucht sich der habsburgischen Umklammerung auf Italiens Schlachtfeldern zu erwehren. Bandello erfährt das daraus resultierende wechselvolle Schicksal Italiens am eigenen Leib. Als vom Wohlwollen seiner Herren und deren politischer Macht abhängiger Diplomat, war er, je nach dem, ob sich die Gunst der Nike Habsburg oder Valois zuneigte, gesichert oder aber auf der Flucht von einem Gönner zum anderen, bis er schließlich im französischen Exil starb. Zu dieser politischen und existenziellen Verunsicherung kam noch die geistige der Zeit hinzu: die Entdeckung der neuen Welt, mit ihren nicht nur politisch-ökonomischen sondern auch geistigen Folgen, die Entdeckungen Gutenbergs und des Kopernikus, und nicht zuletzt die Reformation — um nur die eindrücklichsten Ereignisse zu nennen.

Unter diesen Bedingungen gestaltet Bandello für seine »Novelle« im Gegensatz zu einigen seiner epigonalen Zeitgenossen keine durchgeführte Rahmenerzählung mehr, sondern jede einzelne dieser ohne thematische oder sonstige Ordnung aneinandergereihten und nach buchbinderischen Gesichtspunkten aufgeteilten Geschichten (ed. Flora ³1952, S. 3: »non avendo io servato ordine veruno, secondo che a le mani venuto mi sono, le ho messe insieme, e fattone tre parti, per dividerle in tre libri«) erhält eine Widmung und ein Widmungsschreiben, in dem der Anlaß und der Erzähler der Novelle genannt und/oder die Beziehung des nur als Bewahrer fremden geistigen Eigentums auftretenden Autors zum Beehrten erklärt wird.

Der ausdrückliche Verzicht auf eine Makro-Strukturierung des literarischen Werks entspricht der realen, machtlosen und abhängigen sozialen Stellung des Autors und seiner ganzen sozialen Gruppe, der humanistischen Intelligenz. Schon den Gedanken, die verstreuten Einzelnovellen zusammenzufassen, nimmt Bandello nicht mehr selbstbewußt für sich in Anspruch, sondern er führt ihn auf eine Anregung, sprich Befehl, seiner Gönnerin Ippolita Sforza e Bentivoglia, der Gemahlin seines Brotherren, zurück. Mag es sich dabei auch weitgehend um

Exordialtopik handeln, so bleibt doch die Tatsache bestehen, daß die »Novelle« des Bandello keine Novellensammlung mit durchgeführter Rahmenerzählung mehr sind, sondern ein eher ungeordnetes Sammelsurium von Einzelnovellen. Der humanistische Widmungsbrief, der jeder Novelle vorausgeht, stellt eine Art letzten Versuchs zur Ordnung dar. Die Novellen als fiktive Realitätsbruchstücke werden zwar in keine harmonische Ordnung mehr gebracht, doch wird jeder einzelnen ein Platz im ideologischen System zugewiesen. Der Autor versucht, durch einen fiktiven brieflichen Dialog mit bekannten Personen, oft unterstützt durch den Nachweis einer Parallele zur erzählten Geschichte in der jüngsten Realität, der Novelle eine konkrete Funktion und Daseinsberechtigung zu geben. Jede einzelne wird, um nicht ganz der unverbindlichen Beliebigkeit zu verfallen, in der Realität verankert und dadurch legitimiert, daß sie einer hochgestellten Persönlichkeit in den Mund gelegt wird. Denn in der historischen Situation Bandellos ist eine übergreifende Ordnung, die alle Realitätsbruchstücke gleichzeitig umfaßte, nicht mehr ästhetisch und gleichzeitig ideologisch befriedigend zu verwirklichen.

Masuccio Salernitano (Tommaso Guardati)

Ein Vergleich mit den knapp einhundert Jahre früher verfaßten, ähnlich gerahmten Novellen des Masuccio (1410/20—1475) liegt nahe. Eine erste Fassung einiger Novellen (2, 3, 21, 31 zw. 1450 und 1457; G. Petrocchi, 1953) bestand in Form von Briefen, adressiert an Persönlichkeiten des neapolitanischen Königshofs. Im Unterschied zu den Widmungsbriefen Bandellos, die die anschließende Erzählung fiktiv durch eine individuelle Adresse isolieren, betonen diejenigen Masuccios den exemplarischen Charakter des Erzählten. Diese Betonung des Exemplarischen im Rahmen bei gleichzeitiger narrativer Ausgestaltung der Erzählungen läßt sich nicht nur aus dem allgemeinen Stand der Erzählliteratur im Königreich Neapel erklären, etwa mit dem Hinweis auf den »Esopo« des F. del Tuppo, (ed. G. Petrocchi, 1957), sondern läßt Rückschlüsse auf die dort herrschende Ideologie zu. Masuccio behält die Struktur einer in einen Brief eingelassenen Erzählung weitgehend bei, als er die Einzelnovellen zum »Novellino« zusammenfaßt (1475, posthum erschienen 1476). Die »Narrazioni« bekommen als Dokumente (»autentiche istorie«) für seine moralischen und politischen Erörterungen zwischen dem »Esordio« und dem »Masuccio« überschriebenen abschließenden Kommentar eine zentrale Stellung. Der Autor unterhält so mit den angesprochenen hierarchisch angeordneten Adressaten einen belehrenden Dialog, wobei er jeweils zehn »novelle o vero istorie« unter fünf verschiedenen zum Teil von Boccaccio inspirierten (der 5. Teil des »Novellino« entspricht z. B. dem 10. Tag des »Decameron«) Themenkreisen zusammenfaßt.

Trotz der Erfahrung langer Bürgerkriege und Fraktionskämpfe bis zur Vertreibung des Hauses Anjou und der Machtübernahme durch die Spanier (1442) verfügte Masuccio im Gegensatz zum hundert Jahre jüngeren höfischen Intellektuellen Bandello über eine wortreich im Rahmen vertretene unerschütterliche Ideologie, die sich auf die drei Pfeiler Antiklerikalismus (1. Teil), Antifeminismus (3. Teil) und eine männlich-aristokratische Urbanitas humanistisch-aragonesischer Prägung (5. Teil) stützt. Diese aggressiv vorgetragene Ideologie entspricht seiner sozialen Stellung als einem Angehörigen des städtischen Adels von Salerno (A. Mauro, 1926), der als eine Art Beamtenadel von der Gunst der Herrschenden abhängig ist, im Gegensatz zu den im Königreich Neapel in dauerndem Konflikt mit der Krone lebenden altadligen Baronen und Großgrundbesitzern. Mutet sein Haß auf »questo putrido, villano e imperfettissimo muliebre sesso« (ed. S. S. Nigro 1975, S. 180), diese »perversa generazione« noch sehr mittelalterlich an, so hat derjenige auf die »falsi religiosi« (S. 5) einen historisch bestimmbaren Grund in der Lehensabhängigkeit des Königreichs Neapel von Rom und in der Unterstützung Roms für die aufmüpfigen und mit dem Klerus verbündeten Barone, die ihre eigenen Interessen gegenüber der Zentralmacht zu wahren verstanden (G. Miccoli, 1974, S. 875—896). Die Warnung an die »sciocchi o vero non molto prudenti seculari« (S. 5) vor den gefährlichen Klerikern, hauptsächlich den Mitgliedern von Bettelorden, hat aber auch noch seinen Grund in der Tatsache, daß diese unter dem Schutz kirchlicher Privilegien eine Art Sammelbecken für sozial Benachteiligte und damit einen nicht zu unterschätzenden sozialen Unruhefaktor darstellen. Der Zustrom zu den Bettelorden war besonders groß aufgrund überalterter ökonomischer Strukturen. Die feudale Landwirtschaft war rückständig und Handel und Industrie nur schwach entwickelt (B. Croce, 1925).

Die posthume Editio princeps von 1476 ist verloren oder vielleicht wie das Manuskript von den kirchlichen Autoritäten verbrannt (1557

auf dem ›Index‹). Eine endgültige kritische Ausgabe des »Novellino«
steht noch aus, vor allem was den Sprachzustand betrifft. S. S. Nigro
(ed. 1975) verbessert die größten Entstellungen A. Mauros (ed. 1940)
mit Hilfe der ebenfalls noch mangelhaften, aber erstmalig kritischen
Ausgabe von G. Petrocchi (1953) und fügt eine fundierte historische
und textkritische Einleitung nebst Bibliographie an.

Zu stilistischen und linguistischen Problemen der Erzählkunst Masuccios vgl. G. Petrocchi (1953), den Zusammenhang mit dem kulturellen und politischen Hintergrund klären R. Pastore (1969) und D.
Boillet (1975).

Les »Cent Nouvelles nouvelles«

Der unbekannte Autor (P. Champion, 1928) der »Cent Nouvelles nouvelles« (ca. 1462, gedr. 1486; ed. F. P. Sweetser,
1966), hinter dem zeitweilig Antoine de La Sale vermutet wurde, reduziert den Rahmen, wenn man überhaupt noch davon
reden kann, aufs äußerste. Neben einer Widmung an den Herzog den Guten von Burgund, bleibt als Rest einer Rahmenfiktion fast immer die Nennung eines angeblichen Erzählers nach
der Novellennummer. Die Fiktion einer Erzählerrunde, zu der
neben dem Herzog eine ganze Reihe von Angehörigen (ca. 35)
der exklusiv männlichen Hofgesellschaft gehören, scheint jedoch vom Autor selbst nicht allzu ernst genommen zu werden,
da er im Vorwort nicht einmal den Bescheidenheitstopos verwendet, er habe von anderen erzählte Geschichten nur aufge-
schrieben, sondern im Gegenteil ihren einheitlichen, ›moder-
nen‹ Stil betont: »l'estoffe, taille et fasson d'icelles est d'assez
fresche memoire et de myne beaucop nouvelle.« Sein struktu-
rierender Ordnungswille beschränkt sich darauf, die Zahl Hundert voll zu machen, wobei sich gegen Ende die ohne Namens-
nennung bzw. vom »acteur« erzählten Geschichten häufen. Der
Herzog hat das erste, der Autor das letzte Wort, eine fiktive
auf Autonomie und Gleichberechtigung der Teilnehmer gegründete Ordnung braucht in der burgundischen Hofgesellschaft nicht geschaffen zu werden, die Ordnung steht in Wirklichkeit bereits hierarchisch fest. Zusätzliche strukturelle Ordnungen im literarischen Bereich wie die runde Zahl der Erzähler,
Tage, Themen etc. erscheinen dem Autor überflüssig. Das Burgund Philipps des Guten war ein straff durchorganisierter Staat
mit zentralisierter Verwaltung und der Tendenz, die kommunalen Unabhängigkeitsbestrebungen in ihre Schranken zu weisen
(H. Pirenne, [4]1947). Innerhalb der feudalen Struktur stand al-

lerdings das ökonomische System mit einem frei kokurrierenden Handel und Manufakturen an der Spitze europ. Entwicklung, eine Tatsache, die sich in der Form der Novellen selbst niederschlägt (s. u. S. 88 ff.). Von seiner sozialen Stellung als abhängiger Höfling her hat der Autor der »Cent Nouvelles nouvelles« Ähnlichkeiten mit den in einem autoritären System lebenden Verfassern von konventionellen Konversationsrahmen. Seine und seines Publikums größere Unabhängigkeit von der literarischen Novellentradition veranlaßt ihn jedoch, das in seinem historischen Kontext funktionslose Strukturelement aufzugeben, ohne besondere schriftstellerische Skrupel und ohne den Tadel seiner Leser befürchten zu müssen.

Philippe de Vigneulles, Nicolas de Troyes

Philippe de Vigneulles (1471—1528) (ed. Ch. Livingston, 1974) als »marchans de drap et simple d'entendement« (Prolog seiner »Cent Nouvelles nouvelles«) gehört an der Wende zum 16. Jh. nicht zum alteingesessenen und mächtigen Patriziat der Freien Reichsstadt Metz, sondern stammt aus bescheidenen bäuerlichen Verhältnissen. Wenn er es auch in seinem Gewerbe trotz widriger Zeitumstände zu Reichtum bringt, so bekleidet er doch keine öffentlichen Ämter in der Stadt. Seine Bemühungen, die erzählten Geschichten in eine Makrostruktur einzubetten, sind entsprechend zaghaft. Die thematische Ordnung ist rudimentär, hin und wieder passen ein paar Geschichten zusammen, oft allerdings handelt es sich eingestandenermaßen nur um Lückenbüßer und Füllsel (»pour grossir le total«). Jedoch schafft er es trotz des Titels schon nicht mehr, bei der runden Zahl stehen zu bleiben, sondern er fügt überflüssigerweise noch weitere zehn Novellen hinzu. Es kommt ihm ebensowenig wie dem ebenfalls aus dem Handwerkerstand stammenden Nicolas de Troyes (»Le Grand Parangon«, verfaßt 1535—1537, ed. K. Kasprzyk, 1970) in den Sinn, die fehlende Ordnung der Welt durch einen harmonischen Gegenentwurf in der Art Boccaccios zu bannen. Sie nehmen als praktische Handwerker die Welt so wie sie ist, ihre Herkunft, Bildung und soziale Stellung erlaubt es ihnen nicht, die Realität anders als bruchstückhaft zu sehen und zu gestalten.

Unter den rahmenlosen Sammlungen nehmen das »Liber facetiarum« (ed. R. Fubini, 1964) Poggios (1380—1459) und die von ihnen geprägten »Joyeux Devis« des Bonaventure des Periers eine Sonderstellung ein. Zwar gilt für Poggio die Feststellung, daß er als päpstlicher Sekretär um die Mitte des 15. Jh. unter nicht weniger als acht verschiedenen Päpsten diente, innerhalb der festgefügten Hierarchie in abhängiger Stellung lebte und keinen Spielraum für persönliche politische Betätigung hatte. (Erst nach der Sammlung seiner Fazetien wurde er 1453 Kanzler der Republik Florenz). Doch spricht allein schon die Form der Fazetien gegen eine durchgeführte Rahmenerzählung. Daß nämlich Poggio seine kurzen und kürzesten Fazetien unverbunden aneinanderreiht, und erst in einem Nachwort mitteilt, daß sie im sog. »bugiale«, einer Art ›Lügen- und Läster-Zimmer‹ am päpstlichen Hof, erzählt wurden, und daß er trotz dieses real vorhandenen Rahmens auf seine literarische Gestaltung verzichtete, hat ähnliche Gründe wie die Wahl der literarischen Form der Fazetie.

Im Vorgriff auf den folgenden Abschnitt (4.2.), der sich mit den verschiedenen Ausprägungen der Novellenform beschäftigt, sei zur Fazetie nur kurz Folgendes vorweggenommen: Die Fazetien bestehen zum überwiegenden Teil aus ›Motti‹, d. h. aus Witzworten, mit denen sich einer, so gut es eben geht, seiner Haut gegenüber dem Schicksal oder einem Mächtigeren zu wehren sucht. Im Gegensatz zu den selbstbewußten Novellenhelden der Beffe wird die Handlung in den Fazetien nicht autonom geplant und entsprechend narrativ ausgestaltet, sondern der Witz oder das treffende Wort reagiert meist nur auf einen Angriff und versucht die tatsächliche Unterlegenheit durch verbale Überlegenheit wett zu machen, die allerdings an den realen Machtverhältnissen meist nichts ändert. Der Witz als die Waffe der Ohnmächtigen und kritisch Aufbegehrenden entspricht in keiner Weise den Voraussetzungen für eine Rahmenfiktion, die Autonomie bzw. wenigstens das Akzeptieren der Heteronomie verlangt. Zwischen Poggio und Des Périers liegen knapp einhundert Jahre, die allerdings durch den kulturellen Nachholbedarf Frankreichs gegenüber Italien, der eine adäquate Aufnahme Poggios zu seiner Zeit verhinderte (L. Sozzi, 1966), teilweise wieder wettgemacht werden.

Schreibt Poggio, um den Unmut eines von den Launen der Kirchenfürsten Abhängigen zu besänftigen, so nennt Des Périers (ca. 1510—1543) seinerseits einen konkreten Anlaß: die andauernden Kriege zwischen Franz I. und Karl V.

Das Leben Bonaventure Des Périers ist weitgehend unbekannt. Er gehörte zum reformerischen Kreis gelehrter Humanisten um Margarete von Navarra, bei der er die Charge eines Valet de Chambre innehatte. Die ausführlichste Untersuchung über ihn und seine »Nouvelles récréations et joyeux devis« (verfaßt vor 1544, posth. gedruckt 1558; ed. P. Jourda, 1965) von L. Sozzi (1964) widmet sich in erster Linie seiner Originalität im Vergleich zu volkstümlichen und vor allem italienischen Vorbildern.

Für Boccaccio bot die Überwindung der Pest und die erneute innen- und außenpolitische Festigung der Republik Florenz den Anlaß, die Utopie einer autonomen und harmonischen Ordnung als Rahmen für seine Novellen zu gestalten. Des Périers steht als machtloser und skeptischer Beobachter den äußeren (Franz I. gegen Karl V.) und inneren (Verfolgung der Protestanten) Wirren gegenüber. Er erfindet daher zur Ordnung seiner literarischen Fiktion keine Gesellschaft, die die Zeit der Not zu einer ordnungsstiftenden Utopie nützt, sondern er versucht mit einer Art Galgenhumor die Zeit nur noch zu überlisten (»tromper le temps«) bzw. seinen an den Zuständen krankenden Zeitgenossen lindernde Medizin zu verabreichen. Er ist weit entfernt vom weltverändernden Optimismus Boccaccios und flüchtet sich nach dem Motto »Bene vivere et laetari« in eine resignierende und humorvolle Weltbetrachtung: »Ne vaut-il pas mieux se resjouir en attendant mieux que se fascher d'une chose qui n'est pas en attendant mieux que se fascher d'une chose qui n'est pas en nostre puissance?« (ed. P. Jourda, 1965, S. 367) fragt er in seiner ›Première Nouvelle en forme de préambule‹. Mit einem feinen Gespür für den ideologischen Gehalt eines formalen Elements verzichtet er sogar auf eine abgesetzte Vorrede, indem er seine allgemeinen Überlegungen gleichsam nur als Vorspann für die Sprüche des gottergebenen, wenn auch die Autoritäten (hier Priester und Religion) nicht schonenden Witzbolds Plaisantin gelten läßt, der selbst dem Sterben noch eine naiv heitere Seite abgewinnt. Ebenso verzichtet der Autor auf jegliche Ordnung der Contes. Seine diskursiven Einschübe in die Novellen selbst und in dem auf den Humor ausweichenden resignativen Zug, der seine Wurzeln in der allgemeinen politischen und der speziellen sozialen

Lage reformerischer Humanisten im Frankreich des 16. Jh.s hat, wird sich die Entwicklung der Gesellschaft, d. h. die immer stärker werdende Stellung des Bürgertums in der vorabsolutistischen Epoche Frankreichs (H. See, 1948) auch bei Des Périers bemerkbar machen: wenn nicht im Rahmen, der ein gewisses Maß an persönlicher institutionalisierter Macht oder wenigstens das Akzeptieren der Verhältnisse voraussetzt, so doch im kritischen Inhalt und in der Form seiner die Facetia weiterentwickelnden »Joyeux Devis« selbst (s. S. 89 ff.).

Cervantes

Miguel de Cervantes Saavedra (1547—1616) hat im Gegensatz zu Bandello nicht einmal mehr eine halbwegs sichere, wenn auch abhängige Stellung als Höfling, er erlebt den Niedergang des spanischen Weltreichs und des funktionslos gewordenen Ritterstandes persönlich mit allen Konsequenzen.

Aus einer verarmten adligen Familie des untersten Ranges (Hidalgo) verdingt er sich beim Militär, wo er sich bei der Seeschlacht von Lepanto (1571) auszeichnet, aber einen Arm verliert. Von Seeräubern gekapert verbringt er fünf Jahre als Sklave in Algier, bis er unter großen Opfern freigekauft werden kann. Seine Suche nach Protektion und literarischem Erfolg scheitern, so daß er das sehr zwielichtige Amt eines Comisario anzunehmen gezwungen ist: ein sozialer Abstieg, der ihn mehrfach in Prozesse verwickelt, und zeitweilig ins Gefängnis bringt (W. Krauss, 1966).

Cervantes muß die bittere Erfahrung machen, daß ihn die Gesellschaft trotz seiner Verdienste nicht braucht, daß die lukrativen Stellen vom absoluten Monarchen nach Gutdünken und Stand, nicht nach Verdienst vergeben werden. Er ist nicht mehr eingebunden in eine Gesellschaftsschicht, die sich selbst bestimmen kann (Boccaccio, Sercambi, Marguerite) oder wenigstens als Dekoration und geistreicher Causeur im Zentrum der Macht lebt (Höflinge und Beamte an italienischen und französischen Höfen), sondern er steht als Einzelner allein und ohnmächtig, aber auch distanziert und geistig frei, der Welt und ihrem Treiben gegenüber. Anstatt sein Selbstbewußtsein aus einer Möglichkeit zur aktiven Mitgestaltung der Geschichte seines Landes oder wenigstens seiner Stadt zu schöpfen, ist er gezwungen, seine reale Machtlosigkeit in die geistige Machtfülle des Künstlers zu transponieren, der sich seine Realität selbst erschafft. Zu dieser Realitätserfahrung von Cervantes treten verschiedene Elemente hinzu, die ihn etwa von Bandello unterscheiden. Im Gegensatz zu diesem geht Cervantes aus dem Kampf mit der Realität ideologisch gestärkt hervor. Sein Glaube an Gott, König, Vaterland und ritterliche Tugenden ist unerschüttert bzw. wird der Wirklichkeit trotzig entgegengehalten (A. Castro, 1925); das in den Novellen des Bischofs Bandello blindwaltende Schicksal läßt demgegenüber auf ein schwaches Vertrauen in die göttliche Vorsehung schließen; von vaterländischen und ritterlichen Tugenden ist im unterjochten Italien ohnehin nichts mehr zu spüren. Cervantes Gläubigkeit kann kaum allein der Wirkung der Gegenreformation zugeschrieben werden; seiner expliziten Ideologie nach ist Bandello mindestens so rechtgläubig, doch verrät das implizit Ideologische seiner Novellenstruktur eine tiefe Verunsicherung. Cervantes Ideale sind eher aufgrund der spanischen Reconquista, des fortgesetzten Kampfes mit den ›Heiden‹, und seines persönlichen Schicksals als ›Märtyrer‹ für Gott, König und Vaterland verständlich. Auf dem Gebiet der literarischen Tradition unterscheidet ihn von Bandello — obwohl er die italienische Novellentradition bei seinem siebenjährigen Italienaufenthalt sicher gut kennenlernte — ein stärkerer Einfluß des Abenteuer-, Ritter- und Schäferromans.

An dieser literarischen Form mit ihren weltfernen idealen Gestalten festzuhalten, war ihm aufgrund seiner Realitätserfahrung unmöglich. Andererseits konnte ihn aus dem entgegengesetzten Grund, nämlich der mangelnden Idealität, der damals aufgekommene Picaro-Roman nicht befriedigen. Dieser fehlenden Idealität entspricht eine lockergereihte Struktur, die einer Verknüpfung verschiedener Novellen durch einen Protagonisten gleicht. Die notgedrungene Flucht aus der Realität der gesellschaftlichen Praxis in die fiktive Welt der Literatur verlangte aber als Ersatz nach einer umfassenden Gestaltung in Form des Romans. Gleichzeitig mit dem »Don Quijote« verwirklicht Cervantes jedoch noch eine zweite literarische Möglichkeit, sein Ungenügen an der Realität zu gestalten und gleichzeitig an seinen Idealen festzuhalten: die »Novelas ejemplares«.

Im »Don Quijote« bleibt dem Helden zwischen Realität und Idealität nur die Schizophrenie. Der Wahn des ›Ritters von der traurigen Gestalt‹ erlaubt es, Ideal und Wirklichkeit gleichzeitig als wirklich darzustellen.

Aufgrund seiner Ideologie widerstrebte Cervantes die Brutalität des ›fait divers‹ wie auch die Sinnlosigkeit der ›Histoire tragique‹. Die bloße Realität genügte ihm nicht. Daher schrieb er auch nie die angekündigte Fortsetzung zu seiner Novelle aus dem Picaro-Milieu »Rinconete y Cortadillo«. Andererseits war ihm die Möglichkeit, die Realität der Novellen durch eine harmonische Rahmenerzählung zu ordnen, aufgrund seiner Stellung als gesellschaftliche Randexistenz ohne jegliche politische Mitwirkung genommen.

Dieses Zurückgeworfensein auf sich selbst, auf die schöpferische Aktivität als Künstler, die auf der einen Seite den Roman gebiert, führt bei der Novelle dazu, daß Cervantes die früher der Novelle äußerlich durch den Rahmen aufgezwungene Ordnung in die Novelle selbst verlagert. Dies bedingt ihre Verlängerung, weil die (Schein-)Konflikte zwischen Ideal und Wirklichkeit nun in ihr selbst ausgetragen werden müssen: die Novelle tendiert zum Roman. In den »Novelas ejemplares« wird das, was im Roman der ›Wahnsinn‹ leistet, nämlich die gleichzeitige Darstellung von Ideal und Wirklichkeit, auf zwei Ebenen strukturell verwirklicht. Einmal, wie schon erwähnt, in der Novelle selbst mit Hilfe von märchenhaft gelösten Scheinkonflikten (s. 4.3.) zum anderen durch die Makrostruktur der Sammlung, das heißt die kontrastierende und ausgewogene Anordnung der Novellen in ihrer heiligen Zwölfzahl (W. Pabst [2]1967, S. 134) nach der Zugehörigkeit zum »mundo ideal« oder zum »mundo social« (J. Casalduero, [2]1962).

W. Papst ([2]1967, S. 115 ff.) spricht in seiner scharfsichtigen Analyse der »Novelas ejemplares« von einem »Rahmen der Ernüchterung« und meint damit die Desillusionierung (»desengaño«) der herrschenden Märchenatmosphäre durch das abschließende ›Coloquio de los perros‹. Die Verwendung des Begriffs Rahmen ist allerdings verwirrend. Als Element der narrativen Struktur hat der Rahmen — der, wie wir gesehen haben, durchaus auch andere Formen als die der Rahmen*erzählung* aufweisen kann — eine bestimmte *Funktion* für die *Gesamtbedeutung* der Novellensammlung. Diese Funktion, die seither vorwiegend in der Distanzierung, etwa als »Rahmen der Erinnerung« (L. Spitzer, 1930) gesehen wurde, in der vorliegenden Arbeit eher als ideologische Reflexion über das Erzählte, kann aber auch von anderen Strukturelementen übernommen werden, wie hier bei Cervantes.

Es ist zu einseitig, die Funktion des Rahmens allein dem ›Coloquio‹ aufzubürden; wie oben ausgeführt, wird diese Funktion von allen Novellen gemeinsam übernommen. Die Endstellung des ›Coloquio‹ hat zwar ein besonders ›ernüchterndes‹ Gewicht, doch wird es durchaus aufgewogen durch den

›Rausch‹ der vorangehenden Novellen. Auch hat sich Cervantes wohlweislich gehütet, das ›Coloquio‹ im »Schwarz-Weiß der ›Rahmenwirklichkeit‹« (W. Papst, ²1967, S. 132) vorzustellen. Im Gegenteil, es gibt in den »Novelas« keine ›unwirklichere‹ Szene als die der sprechenden Hunde. Die Wirklichkeit erhält bei Cervantes zwar ihr volles Gewicht, nicht erst am Schluß, sondern in allen Novellen, doch sie bekommt nicht das ›Übergewicht‹.

Die geläufigste und immer wieder aufgelegte Ausgabe der »Novelas ejemplares« in den Clásicos Castellanos (ed. F. Rodriguez Marín, 1915) ist leider unvollständig (es fehlen der Prolog und fünf (!) der zwölf Novellen), man muß daher auf eine Gesamtausgabe zurückgreifen (z. B. ed. R. Schevill/A. Bonilla, 1922/25; ed. A. Valbuena Prat, 1970). Die von Amzúa y Mayo (1956/58) mit einer gigantischen Einleitung begonnene historisch-kritische Ausgabe der »Novelas ejemplares« harrt nach seinem Tode noch der Vollendung durch die eigentliche Textausgabe.
Cervantes übte eine kaum zu überschätzende Wirkung auf die nachfolgende Novellistik in Spanien (C. B. Bourland, 1927; W. Krömer, 1969) und auch in Frankreich (G. Hainsworth, 1933) aus – um nur diese beiden Länder im Bereich unserer Untersuchung zu nennen. Zur weiteren Information sei auf die Bibliographie zu den »Novelas ejemplares« von Dana B. Drake (1968) und auf die ›Suma Cervantina‹ (E. C. Riley und J. B. Avalle-Arce, Hg. 1973) verwiesen.

Im untersuchten Textkorpus ließen sich in bezug auf den Rahmen drei größere Gruppen ausmachen: die durchgeführte Rahmenerzählung, der diskursive Rahmen und die rahmenlosen Sammlungen.
Die durchgeführte Rahmenerzählung, die die gesamte Sammlung durchdringt und harmonisch ordnet, wurde als Ausdruck autonomen Ordnungsvermögens (Boccaccio) gedeutet, der narrativ ausgeführte Konversationsrahmen dagegen als Festhalten an einer literarischen Tradition trotz fehlender sozialer Voraussetzungen in einem autoritären Gemeinwesen, mit der strukturverändernden Folge, daß er keine jederzeit präsente harmonisierende Funktion aufweist, sondern nur noch einen einrahmenden Erzählvorwand bietet (16. Jh.). Das Aufschwellen des Rahmens zur Diskussionsrunde (Marguerite de Navarre) bis zur Reduktion der Novellen auf Exempel in einem hypertrophen essayistischen Rahmen, zeugt von fortschreitender ideologischer Verunsicherung gegenüber der Erfahrung der Realität (Frankreich, 2. Hälfte 16. Jh.), wie sie schließlich Montaigne im »Essai« gültig gestaltet. Eine starre ideologische

Position bei gleichzeitiger Beunruhigung durch die Realitätserfahrung, führt stufenweise von einem diskursiven, aber noch thematisch gruppierenden Rahmen (Masuccio) zu einer Auflösung der Sammlungen in Einzelnovellen, deren systematische Einordnung im direkten Gespräch des Autors mit den wechselnden Adressaten versucht wird (Bandello).

Schließlich bleiben ohne Rahmen diejenigen Sammlungen, die sich entweder auf eine heteronome aber gefestigte Ordnung verlassen (»Novellino«, »Cent Nouvelles nouvelles«) oder deren Autoren der Unordnung mit Witz (Poggio) und in die Novellen eingestreuten ironischen Stellungnahmen (Poggio) begegnen oder aber diese Ordnung entgegen der persönlichen Realitätserfahrung aufgrund einer gefestigten Ideologie strukturell in den Novellen selbst und in ihrer Anordnung zum Ausdruck bringen (Cervantes).

Das Nachzeichnen der Geschichte der Rahmenfiktion auf dem Hintergrund des historischen und sozialen Kontextes ging inzwischen fast unmerklich in eine Analyse der gerahmten Novellen selbst über. Das Ideologische der Struktur liegt eben auch im Zusammenspiel von Rahmen und einzelnen Novellen, so daß immer wieder auf sie und ihre je besondere Struktur hingewiesen werden mußte, — und zwar immer notwendiger, je weniger der Rahmen seine ursprünglichen Ordnungsfunktionen erfüllen konnte.

Im folgenden Abschnitt soll nun ergänzend der Versuch unternommen werden, die historischen Ausprägungen der *Novellenform* jeweils einem bestimmten realen Kontext zuzuordnen, und so die Entwicklung der Novelle bis Cervantes nicht nur nacherzählend zu verfolgen, sondern wenigstens in Ansätzen einsichtig und begreiflich zu machen.

Wie die Wandlungen des Rahmens sind auch diejenigen der Novellenform an spezifische historische und gesellschaftliche Voraussetzungen gebunden. Da diese Voraussetzungen im gleichen historischen Zeitraum je nach Autor und Land sehr unterschiedlich sein können, bedeutet diese Bindung durchaus nicht, daß zu einer bestimmten Zeit mit kausalgesetzlicher Notwendigkeit eine bestimmte Novellenform auftauchen müßte. Jedoch läßt sich das Auftauchen einer neuen Form, die Innovation einer alten und ihre jeweilige Funktion aus dem historischen und sozialen Kontext erklären, der über die Bindung an die literarische Tradition hinaus der Gestaltungsmöglichkeit gewisse Grenzen setzt.

Besonders deutlich wird dies am Phänomen des Realismus, der vielfach als konstitutiv für die Novelle angesehen wurde (z. B. W. Söderhjelm, 1910). Eine Erzählung kann nicht mehr und nicht weniger realistisch sein, als es das Verhältnis ihres Autors zur Wirklichkeit und seine darauf fußende Ideologie erlaubt. Das heißt, ein Autor, dessen Sein und Bewußtsein eingebunden ist in eine außerirdisch legitimierte feudale und religiöse Ordnung und dessen Handeln zumindest der Ideologie nach eher auf das Jenseits als auf das Diesseits gerichtet ist, wird der Wirklichkeit in seinen Erzählungen weniger Platz einräumen als derjenige Autor, der die Welt und den sozialen Rang aus eigener Kraft des Individuums für veränderbar hält und Möglichkeiten sieht, einen Vorgeschmack des Paradieses auch schon auf Erden zu genießen. Der eine sieht die Wirklichkeit vorwiegend heteronom, sub specie aeternitatis, der andere als Betätigungsfeld autonomer menschlicher Vernunft und als Verwirklichungsraum menschlicher Natur. Dieser beschränkt seine Erzählung, etwa das Exempel, auf ein nacktes Handlungsgerüst, in dem nur die Kernpunkte und Hauptetappen einer Handlung auftauchen, weil ihn ja nicht die Handlung und ihre Motivation als solche interessiert, sondern die daraus zu ziehende allgemeine Lebensregel, die ›Moral‹; jener motiviert die Handlungen seiner Schwank-Novelle durch die Erklärung besonderer sozialer und psychologischer Umstände und lenkt das Interesse auf die Personen und ihre Handlungen selbst. In der strukturalistischen Terminologie von R. Barthes (1966) bestünde die erste Art von Erzählungen vorwiegend aus einer Sequenz von Erzählkernen (noyaux), während die zweite Art die Sequenz von Erzählkernen ergänzte durch eine Beschreibung der Handlungsmotivationen und -umstände (indices). Damit tritt der Mensch (personnage, acteur) als autonomes Wesen in den Vordergrund und verdrängt den bloßen Funktionsträger (actant), der ohne Namen, ohne geographische, chronologische und soziale Bestimmung bleibt.

Der (Kurz-)Schluß liegt nahe, aus einem Zuwachs an Wirklichkeit in der Novelle einen Zuwachs an Autonomie auf seiten des Autors zu folgern. Doch gilt das nur bis zu einem gewissen Grad und zwar bis zu demjenigen, an dem in der literarischen Fiktion die Handlungsschritte und die diese Schritte motivierenden Umstände ausgewogen sind. Ein solches Gleichgewicht ist Ausdruck dafür, daß die Handlung und die sie bedingenden Umständen vom Helden überschaubar und zu seinen Gunsten lenkbar sind. Wird dieses Gleichgewicht gestört, bekommt der Autor und sein Held die Wirklichkeit nicht mehr ›in den Griff‹, und überrennt sie ihn, dann verzettelt sich der Erzähler in Detailbeobachtungen, die durch ihre Menge und Ausführlichkeit die fehlende Stringenz der Handlung ersetzen sollen.

Je problematischer das Verhältnis des Autors zur Wirklichkeit ist, desto eher versucht er, sie durch Beschreiben (indices) statt durch Erzählen (noyaux) zu gestalten — oder aber er nimmt seine Zuflucht zum »discours« im Gegensatz zum erzählenden »récit« (E. Benveniste, 1966), in der Terminologie H. Weinrichs (²1971) zum »Besprechen«.

Hier zeigt sich wiederum, daß eine gesonderte Interpretation von Rahmen und Novellen nur kurzfristig aus methodischen Gründen sinnvoll ist, da Novelle und Rahmen eine untrennbare Einheit bilden. Dieser Hinweis gilt besonders für diejenigen Schwank- und Abenteuer-Novellen, die noch eingerahmt sind und die die diskursive Meinungsäußerung des Autors bzw. seiner fiktiven Personen über das Erzählte noch nicht in die Erzählung selbst integriert haben.

Rahmen und eingerahmte Novellen stehen in einer Art Spannungsverhältnis wie Ideologie und Wirklichkeit. Trotz einer grundsätzlich gleichen Abhängigkeit der beiden von außerliterarischen Faktoren bleibt der Rahmen weitgehend abstrakt und bewegt sich in einem idealen Raum, während die Novellen konkretes Leben gestalten. Wenn die Realität überhaupt in den Rahmen eindringt, wie etwa die Pest in den Rahmen des »Decameron«, so doch nur unter einem allgemeinen und symbolischen Aspekt und nicht in individuellen Lebensschicksalen verankert. Die Novellen dagegen sind ›realistischer‹, sie bilden eine Art Prüfstein für die Ideologie des Rahmens. So stehen der fiktiven Wirklichkeit gewordenen Utopie des Rahmens im »Decameron«, in dem eine gleichberechtigte Gesellschaft von Herren und Damen sich wohlanständig benimmt, alle Probleme gemeinsam löst und abwechselnd regiert und gehorcht, Novellen gegenüber, die diesem Idealbild durchaus nicht entsprechen.

Nicht nur daß die Macht der Vernunft und Natur, die in der Beffa verherrlicht werden, nicht immer mit »cortesia« zu vereinbaren sind, der Rahmen umfaßt auch die tragischen Novellen des 4. Tages, in denen die im Rahmen aufgestellten Ideale, in erster Linie die an keine gesellschaftlichen Vorurteile gebundene Liebe, an der Realität scheitern. Es wäre Boccaccio, hätte er gewollt, sicher ein Leichtes gewesen, diesen Novellen ein ›happy end‹ anzuhängen, so etwa wie Giraldi (M. Olsen, 1973) im Interesse gegenreformatorischer und restaurativer Ideologie seine Helden die unwahrscheinlichsten Sinneswandlungen vollziehen läßt. Boccaccios Sympathien gelten in den meisten Fällen zwar eindeutig den unglücklich Liebenden und es bleibt ihnen der Trost einer Vereinigung im Grabe, doch er verzichtet darauf, den schönen Schein zu sehr auf Kosten der Realität zu bevorzugen.

Auch wenn er in Form einer Erzählung erscheint, ist der Rahmen in erster Linie ideologischer Kommentar (discours) zur Wirklichkeit, die in ihrer ganzen Vielfalt und Widersprüchlichkeit in den Novellen vorgeführt wird. Die Novellen (récit) sind also realistischer, »wahrer« als der Rahmen, da die Ideologie in sie vorwiegend narrativ, d. h. über die Wirklichkeit vermittelt als »Ideologisches« (P. Macherey, 1971) eindringt. Auf diesen Unterschied wird eine ideologiekritische Interpretation bei der Gewichtung der Argumente zu achten haben.

Die folgende Typologie der Novellenformen beschränkt sich auf drei mehrfach untergliederte Typen, die es erlauben, die wesentlichsten historischen Erscheinungsformen der Novelle bis Cervantes einzuordnen. Daß es sich bei dieser Typologie um eine methodisch bedingte Abstraktion handelt und daß die Novellentexte die vielfältigsten Übergangs- und Mischformen aufweisen, bedarf keiner besonderen Betonung, zumal die Novellentexte im Laufe der Erörterung nicht ahistorisch typologisiert, sondern jeweils in ihren konkreten historischen Kontext gestellt werden.

Die *Beispiel-Novelle:* das Erzählen tritt hinter der aus dem Erzählten zu ziehenden Lehre zurück und illustriert ein außerliterarisches ideologisches System, so daß nur das zum Verständnis des Zusammenhangs allernotwendigste Handlungsgerüst ohne narrative Ausgestaltung (eine minimale Sequenz von Erzählkernen) vorhanden ist.

Die *Schwank-Novelle* (Motto und Beffa): das Erzählen konzentriert sich auf eine durch Beschreibung der Umstände hinreichend narrativ motivierte Aktion bzw. Reaktion menschlicher Erfindungsgabe und menschlichen Witzes gegenüber Menschen und Situationen (vorwiegend ein- oder zweigliedrige Sequenz); als wichtigste Untergruppen lassen sich das Witzwort (Motto) und der ausgeklügelte Streich (Beffa) unterscheiden.

Die *Abenteuer-Novelle:* das Erzählen folgt dem Auf und Ab eines unberechenbaren menschlichen Schicksals (mehrgliedrige Sequenz). Die narrative Ausgestaltung von abenteuerlichen Verwicklungen und leidenschaftlichen Charakteren tritt immer mehr in den Vordergrund.

Außer der Rechtfertigung, die diese Einteilung durch den Gang der Erörterung selbst erfahren wird, kann sie sich auf Boccaccio berufen, der im Vorwort zum »Decameron« eine ähnliche Dreiteilung seiner Novellen vornimmt: »cento novelle, o favole o parabole o istorie che dire le vogliamo.«»Favole« übersetzt (ed. V. Branca, 1965, S. 6, Anm. 5) in etwa afrz. ›fabliaux‹ und repräsentiert den Typ der Schwank-Novelle, das Witzig-Unterhaltende schlagfertigen Handelns und Redens; »parabole« betont eher die beispielhafte, didaktisch-allegorische Funktion, während »istorie« der Wiedergabe historischer und pseudohistorischer Ereignisse und längerer Geschichten abenteuerlichen Charakters entspricht.

Allerdings erscheinen alle drei Typen bei Boccaccio in einer ganz bestimmten, unverwechselbaren Ausprägung, die von seiner schon anläßlich der Rahmenfiktion beschriebenen historischen Situation abhängt. Die Ideologie des selbstbewußten Florentiner Großbürgers mit seinem Amalgam von bürgerlichen und adligen Tugenden verleiht allen Typen die charakteristischen Novellenmerkmale, wie sie H.-J. Neuschäfer (1969) analysierte. Da der Kern von Boccaccios Ideologie der autonome, selbstbewußt und seiner Natur entsprechend handelnde Mensch ist, rückt die Mehrzahl seiner Novellen in die Nähe derjenigen Novellenstruktur, die dieser Vorstellung vom Menschen am ehesten entspricht, nämlich der schlagfertigen Selbstbehauptung und natürlichen Selbstverwirklichung des Menschen in der Schwank-Novelle. Angesichts der Beispielhaftigkeit Boccaccios für die europäische Novellistik konnte es geschehen, daß dieser

Novellentyp mit der Novelle schlechthin identifiziert wurde, obwohl er lediglich die ideale ästhetische Verwirklichung dieser Gattung zu einer bestimmten Zeit und in einer bestimmten Gesellschaft darstellt. Die anderen Möglichkeiten ästhetischer Verwirklichung, die die Novelle auch schon im »Decameron« erfuhr, dürfen darüber nicht vernachlässigt werden.

4.1. Die Beispiel-Novelle

Das Verhältnis zwischen Exempel (Beispiel) und Novelle wird durch Begriffe wie ›Vorläufer‹ — ›entwickelte Form‹ nicht adäquat erfaßt. Spätestens seit den Untersuchungen von K. Stierle (1973) ist klar, daß das Exempel nicht nur ein ›Vor‹ — sondern auch ein ›Nach‹-Läufer der Novelle ist, zu der sie in bezug auf ihre ästhetische Funktion in der Opposition: Ausdruck der Heteronomie — Ausdruck der Autonomie (»Mündigkeit«) steht. Diese Ergebnisse stimmen mit den grundlegenden Überlegungen von R. Schenda überein, der in seinem Bericht zur Exemplaforschung (1969, S. 81) feststellt:

»›Exemplum‹ ist also sowohl ein Sammelbegriff für die verschiedensten literarischen Gattungen als auch gleichzeitig ein Funktionsbegriff, keineswegs eine selbständige Gattungsbezeichnung. Erst eine für verschiedene synchronische Studien differenzierte Strukturierung dieses Modellbegriffs kann erläutern, welche speziellen Funktionen dem Exemplum in diesem oder jenem Werk, in dieser oder jener Epoche, von diesem oder jenem Autor zugewiesen wurde.«

Infolgedessen beschäftigt sich dieses Kapitel nicht mit dem mittelalterlichen Exemplum als ›Vorläufer‹ der Novelle, noch mit dem Exempel schlechthin, sondern nur mit dem Exempel in einem gattungssystematisch und zeitlich begrenzten Zusammenhang mit der Novelle. Diese bestimmte Art von Erzählung zwischen den beiden Polen Exemplum und Novelle, d. h. eine Novelle, deren Exempelcharakter sich in der narrativen Struktur auswirkt, wird im Folgenden Beispiel-Novelle genannt. Sie bezeichnet literaturhistorisch einen Novellentyp, der am Anfang und am Ende des untersuchten Zeitraums besonders in den Vordergrund tritt. Die je nach historischem und sozialem Kontext verschiedene Art und der Grad der Exemplarität manifestieren sich ähnlich wie bei der schon untersuchten Rahmenerzählung in einer sich ändernden Erzählstruktur. Die ›Moral‹ einer Geschichte gehört ebenso wie der Rahmen zur Welt des Discours im Gegensatz zur Welt des Récit, den Novellen.

Beide sind in bezug auf die Novelle als kommentierende ideologische Äußerung von ihrer Funktion her identisch, die Wahl dieser verschiedenen Formen des Discours allerdings ist wiederum vom pragmatischen Kontext abhängig (vgl. 3.).

Schon bei der Analyse des Rahmens war von der privilegierten Stellung des mittelalterlichen Exemplum innerhalb eines gesicherten Ordo die Rede, der das Handeln des Menschen im religiösen und weltlichen Bereich eindeutig und heteronom bestimmt. Die gleichen Gründe, die es erlauben, auf einen expliziten literarischen Rahmen zu verzichten, bestimmen auch die Erzählstruktur des einzelnen Exempels. Als Beispiel für allgemeine und ewig gültige Heilswahrheiten zählt nur das Allgemeine, nicht das Besondere, die zeitliche, soziale und individuelle Fixierung wird möglichst vermieden.

Die narrative Ausgestaltung der Sequenz von Erzählkernen durch soziale und psychologische Umstände wird erst in dem Moment nötig und möglich, wo nicht mehr das Allgemeine, die conditio humana bzw. die göttliche Vorsehung, sondern das autonom handelnde Individuum, das Besondere des einmaligen Falls interessiert. Die Veränderungen, die Erzählstoffe vom Exemplum bis zum »Decameron« erfuhren (S. Battaglia, 1960; H.-J. Neuschäfer, 1969; K. Stierle, 1973), machen diesen Vorgang besonders deutlich.

Petrus Alfonsi

Der sich an die christliche Morallehre klammernde, konvertierte Jude Petrus Alfonsi, verzichtet in der »Disciplina clericàlis« auf eine Rahmenfiktion und reiht unter einem kurzen Stichwort (z. B. »De consilio«, »De leccatore«, »De sapientia«) zahllose antike und arabische Weisheitssprüche aneinander (»Philosophus quidam dixit: »[...]« oder »alius philosophus: [...]«), zuweilen nur durch ein etwas ausführlicheres Exemplum unterbrochen, dessen Personen und Handlungen aber völlig abstrakt bleiben (Exemplum VI: »Dixit Arabs quidam filio suo: [...]«).

Das Bemühen durch Spruchweisheiten zu belehren, wirkt sich auch auf die Struktur der Exempla aus, die weitgehend dialogisch gehalten sind und Handlung möglichst in einem Bericht oder als Handlungsanweisung in direkter Rede wiedergegeben. Diese dialogische Form kennzeichnet auch noch das »Novellino«, wenn sie auch dort eine andere Funktion erhält:

der arabische Weise formuliert in wörtlicher Rede eine allgemeine Lebensweisheit oder er erklärt sie, im »Novellino« wehrt sich ein bestimmter Mensch in einer bestimmten Situation mit einem Motto (s. u. S. 78 ff.), das auf andere Situationen kaum anwendbar ist.

Juan Manuel

Der »Conde Lucanor« (1335; ed. J. M. Blecua, 1969; krit. Bibliographie von D. Devoto, 1971) des spanischen Infanten Juan Manuel (1282—1348), Neffe Alfons X., des Weisen, dagegen ist zweihundert Jahre später trotz der äußerlichen Ähnlichkeit von anderem Geist (R. Ayerbe-Chaux, 1975). Allein schon der Erzählanlaß — von einem Rahmen kann man kaum sprechen — hat sich entscheidend verändert. Statt eines nicht näher individualisierten weisen Vaters, der seinen unerfahrenen Sohn unterweist, erbittet ein adliger junger Herr sich in völliger Unabhängigkeit und aus eigenem Antrieb in fünfzig Fällen Ratschläge eines ihm standesgemäß Unterlegenen. Der Rat wird auch nicht abstrakt und systematisch erteilt wie in der »Disciplina clericalis«, sondern immer aus konkretem, gegebenem Anlaß. Statt das allgemein Bekannte und Gültige (in der »Disciplina« einen oder mehrere Philosophensprüche) durch ein Beispiel zu bekräftigen, wird aus dem besonderen Problem des Grafen Lucanor und einer dazu passenden Geschichte seines Ratgebers Patronio erst nachträglich ein allgemein gültiges Gesetz abgeleitet und als versifiziertes Sprichwort formuliert. Die Befangenheit in exemplarischen und christlich-feudalen Denkformen ist noch deutlich zu spüren, doch gründet Juan Manuel das Handeln seiner Protagonisten schon nicht mehr allein auf die Vorsehung. Er läßt es von individuellen psychischen Voraussetzungen ausgehen und die menschlichen und irdischen Motivationen von der Intelligenz des Helden gelenkt werden. Wenn Juan Manuel in dieser Richtung auch noch nicht so weit geht wie Boccaccio, so ist es doch bei beiden Autoren ganz offensichtlich, daß die Möglichkeiten einer literarischen Innovation vom Exempel zur Beispiel-Novelle eine unabhängige und selbstbewußte soziale Stellung und, damit verbunden, die Emanzipation vom mittelalterlichen Denken voraussetzt.

Boccaccio kompliziert den eindeutigen Sinn des Exemplums dadurch, daß er die Personen individualisiert, in der Realität verankert und die »blinden Implikationen« des Exempeltextes ausführt. Ein Vergleich zweier Fassungen des gleichen Stoffes (»Disciplina clericalis«, Exemplum II: »De integro amico« mit »Decameron« X, 8) macht die wesentlichen Unterschiede klar (H.-J. Neuschäfer, 1969, S. 43—51; K. Stierle, 1973, S. 361—366).

Die Personen nehmen nicht mehr wie im Exemplum alles mit Selbstverständlichkeit hin (etwa das Gisippo aus mustergültiger Freundschaft Tito seine Braut abtritt), sondern sie schwanken in ihren Entscheidungen, haben ein eigenes Bewußtsein ihres Tuns und infolgedessen Gewissensbisse (Tito angesichts seiner Liebe zu Sofronia), ja sie durchkreuzen (kurzzeitig) die ursprüngliche Exempelhandlung durch ihr neuerlangtes Selbstbewußtsein (Sofronia reagiert empört auf den über ihren Kopf hinweg vorgenommenen Brauttausch). Zwar kommt, wie Stierle (1973, S. 362) richtig bemerkt, die Handlung schließlich doch noch zum gewünschten Ende, die Moral kann mit dem gebührenden rhetorischen Aufwand ausführlich formuliert werden (»Santissima cosa adunque è l'amistà [. . .]«), doch zwischen den Personen bleibt ein Rest von Ranküne, das Exemplarische wird durch den Zuwachs an Wirklichkeit »problematisiert, reflektierbar gemacht«.

Die Sentenz über die Freundschaft muß sich bei Boccaccio an der Realität messen lassen, — das Exemplum ist zur Novelle geworden. Die Änderung der literarischen Form entspricht einer Änderung des gesellschaftlichen Selbstverständnisses zum autonomen, »mündigen« (Stierle) Menschen in der florentinischen Stadtgesellschaft. Das Exemplarische, das nicht mehr selbstverständlich aus dem Erzählten hervorgeht, wird aus der Erzählung heraus in den Rahmen verlagert, in dem Filomena sich direkt an die Zuhörer wendet und Betrachtungen über den Wert der Freundschaft anstellt. Selbst diese Betrachtungen zeigen aber noch eine entscheidende Nähe zum praktischen Leben und der Realität. Reicht beim Exemplum ein Hinweis auf eine abstrakte eher aufs Jenseits als aufs Diesseits gerichtete Tugend zur Rechtfertigung der Erzählung (etwa »De amicitia«), so erläutert Filomena den praktischen Nutzen der Freundschaft im gesellschaftlichen Umgang.

Die entscheidende Frage, die es erlaubt, den wesentlichen Unterschied zwischen dem mittelalterlichen oder einem anderen Exempel und der Novelle zu klären, lautet nicht, *ob* das Erzählte exemplarisch ist oder nicht, sondern für die Struktur der Erzählung ist entscheidend, *wofür*, d. h. für welche Ideologie das Erzählte exemplarisch ist. Der Unterschied zum mittelalterlichen Exemplum besteht darin, daß das Individuum autonom über sich zu entscheiden gelernt und neue Wertvorstellungen entwickelt hat, wie beispielsweise die einer widersprüchlichen menschlichen Natur, die zwar immer schon widersprüchlich war, aus ideologischen Gründen seither aber unter ein eindeutiges moralisches Gesetz gezwungen wurde.

So wird es erzählerisch überhaupt erst notwendig, Menschen mit Fleisch und Blut, mit bestimmten sozialen Voraussetzungen, Vorlieben, Abneigungen und ihrer ganzen komplizierten und widersprüchlichen Mechanik von Motivationen (indices) darzustellen.

Im Gegensatz zu den Schwank-Novellen, die mit Billigung des Autors und der »lieta brigata« die Übertretung überkommener Normen (Ehebruch, Betrug etc.) darstellen und damit eine provokative und »destruktive« (Todorov, 1969) Tendenz in der Verwirklichung der Autonomie gewinnen, dient der zehnte Tag des »Decameron« mit seiner ›idealen‹ Thematik eher dazu, diesen Überschwang durch die Vernunft und ideale Leitbilder zu mildern, die neugewonnene Spontaneität natürlichen Verhaltens einer gesitteten Ordnung zuzuführen. Insofern passen diese Novellen des zehnten Tages trotz der vorher aufgezeigten Opposition zum Exemplum noch in die Gruppe der Beispiel-Novellen, da sich ihre Helden freiwillig einem Ideal unterwerfen, d. h. einen Teil ihrer gleichberechtigt auf Natur und Vernunft gegründeten Autonomie aufgeben. Das wirkt sich nicht selten negativ auf die Wahrscheinlichkeit der Erzählungen (z. B. Messer Torello, Tito et Gisippo, Griselda) aus und hinterläßt einen im Vergleich zu den Schwank-Novellen gezwungenen Eindruck. Doch geht Boccaccio nicht soweit, die Problematik menschlicher Wertvorstellungen und Ideale, die sich in der novellistischen Ausgestaltung der Personen manifestiert, aufzugeben zugunsten schemenhafter und abstrakter exemplarischer Figuren. Die ausgestaltete narrative Struktur dieser Novellen bleibt ein Beweis für den Vorrang der Selbstbestimmung über die Fremdbestimmung, selbst wenn diese Selbstbestimmung Selbstbeschränkung bedeutet.

Aufgrund der seitherigen Analyse der Erzählstruktur als Ausdruck bestimmter Ideologien, ließe sich folgende Hypothese aufstellen: wenden sich Autoren trotz der literarischen Tradition der Boccaccio-Novelle von deren Struktur ab, reduzieren sie die Novelle zum Anekdotischen oder zu einem Handlungsskelett aus bloßen Erzählkernen (noyaux) ohne beschreibende Umstandsbestimmung (indices), so ist das ein Anzeichen für zunehmende Heteronomie im gesellschaftlichen Leben. Welcher Art diese Heteronomie ist, kann nur der Bezug zur historischen Situation klären, wie er bei der analogen Beschreibung der Geschichte des Rahmens schon hergestellt wurde.

Reduktion zur Beispiel-Novelle (F. Sacchetti, La Motte Roullant)

Nach den Bürgerkriegsunruhen der Ciompi in Florenz konzentrierte sich die Macht über die Republik in der Hand von immer weniger Familien. Die Möglichkeit zu aktiver demokratischer Mitbestimmung des einzelnen Bürgers ging verloren. Selbst wenn sich die Vorstellung von der Autonomie weitgehend als die Fiktion einer kleinen herrschenden Schicht — des Popolo grasso — herausstellte (P. Brockmeier, 1972), so konnte die politische Entwicklung zur Signorie doch nicht ohne Wirkung auf die Novelle bleiben, wie sie Boccaccio aufgrund dieser Ideologie geformt hatte.

Erste strukturelle Folgen der Machtlosigkeit des Einzelnen gegenüber einer heteronomen Sozialordnung zeigen sich in den »Trecentonovelle« des F. Sacchetti schon im Fehlen eines Rahmens. Aber der Jammer über die Schlechtigkeit der Welt, die Willkür der Herrschenden, die das Recht des Stärkeren rücksichtslos ausspielen, lassen die Novelle zu einem Beispiel für die Ohnmacht des Bürgers (L. Caretti, 1951) werden. Die individuelle Unverwechselbarkeit der Personen, die Doppelpoligkeit der Charaktere und die Ambivalenz der Wertvorstellungen (H.-J. Neuschäfer, 1969) geht sukzessive verloren durch Reduktion der Handlung auf eine Anekdote, die nur noch einen kurzen Moment mit realistischer Schärfe erfaßt, nicht mehr eine individuell geplante Handlungsfolge und ihre einmalige und ausführliche Motivierung. Sacchetti muß die Zahl seiner Novellen gegenüber Boccaccio verdreifachen, um die chaotische Vielfalt der Welt einzufangen. Durch die angefügte Moral (A. Borlenghi, 1953; B. Porcelli 1969) wird der Beispielcharakter dieser Art von Novelle noch unterstrichen. Eine weitere strukturelle Folge der historischen Situation wird sich in der Verschiebung zwischen Beffa und Motto zu Gunsten des Motto zeigen (s. u. S. 80 ff.).

Ähnliche Beobachtungen über die Reduktion der Novelle zur Beispiel-Novelle lassen sich in Frankreich in der Mitte des 16. Jh.s machen. La Motte Roullant (L. Loviot, 1914) hält bei seiner Bearbeitung (1549) der aus dem 15. Jh. stammenden »Cent Nouvelles nouvelles« all das für überflüssig, was die Novelle gegenüber dem Exemplum auszeichnete: die feste Verankerung der Personen und ihrer Handlungen in Zeit, Raum und Gesellschaft mit Hilfe einer detailliert motivierenden narrativen Ausgestaltung. Diese seiner Meinung nach »raisons prolixes, et le plus sans propos«, struktureller Ausdruck für die Selbstbestimmung des Helden, hält er in einer Zeit, deren Wirklichkeitserfahrung dieser Ideologie nicht mehr entspricht, für eine »chose ennuyeuse et mal limée au gré et plaisir des Francoys, lesquelz sur toutes nations appettent brieveté en leurs langaiges.« Der schärfer sehende Des Périers begründet in den »Nouvelles Recreations« seine Wahl der Fazetie, die sich durch ähnliche formale Eigenschaften auszeichnet, nicht mit dem Volkscharakter, sondern mit den Zeitläuften.

Hier zeigt sich schon, daß die Übergänge gleitend sind zwischen Novellen, die bis auf einen Abtausch von zwei, drei Sätzen mit minimaler narrativer Ausgestaltung reduziert sind und damit eine exemplarische Lehre verbinden – der Extremfall wäre der weise Spruch oder das Sprichwort –, und der auf einen Witz reduzierten Schwank-Novelle in der Form des Motto oder der Fazetie, bei der eher das unterhaltende bzw. spöttisch-kritische Element im Vordergrund steht (s. u. S. 88 ff.).

Sprichwörter oder sprichwörtliche Redewendungen als eine Novelle in nuce, als versifizierte oder weniger auffällig poetisch in Szene gesetzte Moral tauchen in fast allen Novellensammlungen auf und zeugen von einer – wenn auch weitgehend gegenüber dem Vergnügen an der autonomen narrativen Ausgestaltung reduzierten – Anspruch auf Exemplarität. Wie wenig ernst er allerdings im Vergleich zum novellistischen Erzählen genommen wird, beweisen etwa die Sprichwort-Novellen des A. Cornazano (»Proverbii in facetie« 1518; lat. Version schon 1503; ed. 1865) oder das »Libro della Origine delli volgari proverbi« (1526) des A. Cinthio degli Fabrizii. Umgekehrt wie etwa bei Masuccio wird die Moral nicht abschließend aus dem Erzählten abgezogen und an die Geschichte angehängt, um sie exemplarisch zu rechtfertigen, sondern zu dem Sprichwort bzw. der Redewendung werden teilweise sogar mehrere ›ätiologische‹ Erzählungen meist skabrösen Charakters hinzuerfunden. Die Exemplarität ist zu einem leicht durchschaubaren

Vorwand geschrumpft, der kaum etwas Ernsthaftes mit der tatsächlich erzählten Geschichte zu tun hat.

Essayistische Erzähler

Bildet in den Sprichwort-Novellen die ›Moral‹ nur den Vorwand zum Erzählen, so schilderte die Reduktion der Novelle zur Beispiel-Novelle gerade den entgegengesetzten Vorgang: das Erzählen tritt zurück und dient als Illustrierung für diskursiv weitschweifig geäußerte Autorenmeinung. Diese wuchernde Rahmenerzählung (s. o. 3.) wurde als letzter unbeholfener Versuch gewertet, die Exemplarität des Erzählten aus dem Chaos zu retten.

Nach einer Zeit der Übersetzungen und Kompilationen fällt in der zweiten Hälfte des 16. Jh.s in Frankreich (H. H. Wetzel, 1974, S. 107 ff.) neben den traditionellen Sammlungen von Schwank-Novellen (J. Bergier, 1572; Rommanet du Cros, 1572; G. Chappuys, 1584) und den Bandello-Nachahmungen mit ihren abenteuerlichen Novellen (J. Yver, 1572, B. Poissenot, 1586; V. H. nc, 1585) eine Gruppe von essayistischen Erzählern auf, deren Ge samnlungen kaum noch etwas mit der seitherigen Novellistik g im haben.

Henri Estienne (1531-1598), der zeitwillig nach Genf geflüchtete protestantische Humanist und Verleger (L. Clément, 1899), nennt den Zweck und die Eigenart dieser Erzählungen im »Avertissement« zur »Apologie pour Herodote« (1566; ed. P. Ristelhuber, 1879, Bd. I, S. XI):

»Outreplus ils doivent considerer que les contes par moy recitez, ne sont point mon suject, mais servent comme de tesmoins au suject et argument que j'ay entrepris de traiter: et qu'il y-a grande difference de faire un ramas de contes pour seulement donner du passetemps, ou d'en trouver de propres et convenables pour confirmer et comme signer ou cacheter un si grand nombre de tels discours.«

Schon bekannte Novellen, die zu Beweiszwecken für die Lasterhaftigkeit der Welt und vor allem der katholischen Kirche herangezogen werden, drängt Estienne auf einen Bruchteil ihres ursprünglichen Umfanges als Inhaltsangabe zusammen. (z. B. »Heptaméron« 23 — »Apologie«, ed. Ristelhuber, 1879, II, 8—10) oder er reduziert sie auf einen Relativsatz, der mit »Temoin, celuy qui« eingeleitet wird (F. Redenbacher, 1926, S. 63 ff.).

Des ›juge-consul des marchands‹ Guillaume Bouchet (ca. 1513—1593/4) abendliche Erzählerrunde poitevinischer Bürger geht in den »Sérées« (1584/98; ed. C. E. Roybet, 1878—1882) weniger planvoll als assoziativ vor (S. Rabinowitz, 1910; J.

Plattard, 1928), indem sie die vielfältigsten Phänomene des menschlichen Lebens unter reichlichem Zitieren antiker Autoritäten zwanglos erörtert, von Traum und Schlaf über Tollwut, Weitsichtigkeit und Mißgeburten bis zu allerlei fremdländischen Kuriositäten. Auch er reduziert die Novelle zu trockenen Inhaltsangaben (»Decameron« X, 3 — ed. Roybet, Bd. I, S. 221 f.).

Diese Tradition wird fortgesetzt mit den langweiligen Pro und Contra Erörterungen des laut L. Loviot (1913) aus einer nach der Bartholomäusnacht ›bekehrten‹ Protestantenfamilie stammenden Jean Dagoneau, Seigneur de Cholières (1509—ca. 1592) in seinen »Neuf Matinées« (1585) und den »Apresdisnées« (1587; ed. Tricotel, 1879). Ihren Höhepunkt allerdings findet sie in der an Rabelais erinnernden Zecherrunde des »Moyen de parvenir« (Ende 16. Jh., gedr. 1610; ed. C. Royer, 1896; H. Reiche, 1913; J. Pallister, 1971) von Béroalde de Verville (1516—1510/20; V. L. Saulnier, 1944).

Die Reduzierung einer Erzählung zur bloßen »substance du narré« (La Motte Roullant, 1549, »Epistre exortative«), die Aufgabe einer motivierten Handlungsführung mit individuellen Protagonisten bedeutet zwar ein Wiederaufleben der Exempelstruktur, hat jedoch in der Verbindung mit dem essayistischen Rahmen eine andere Bedeutung gewonnen. Wie schon bei der Geschichte des Rahmens (3.) ausgeführt, sind die Beispiel-Novellen innerhalb eines essayistisch wuchernden Rahmens nicht mehr Zeugen einer gesicherten Ordnung (die auf den Rahmen verzichten konnte), sondern Beweise für eine heillose Unordnung der Welt. Den essayistischen Autoren gelingt es noch nicht, wie Montaigne diese Funktion der Exempel gedanklich zu durchdringen und zu formulieren, sie erstreben die Ordnung durch eine bloße enzyklopädische An-Ordnung ihrer Themen.

Das politische Elend Frankreichs im Zeitalter der Religionskriege, die geistige Verunsicherung und das Gefühl der Machtlosigkeit des Einzelnen ließen das Bedürfnis nach einer systematischen Ordnung der chaotischen Vielfalt der alltäglichen Phänomene und Ereignisse wachsen. Da die jahrhundertelang geltenden religiösen, politischen und naturwissenschaftlichen Gesetze fragwürdig geworden, ja zum Teil als falsch erkannt waren, wird in den essayistischen Sammlungen Beispiel auf Beispiel gehäuft, um auf diese Weise wenn schon kein geordnetes Weltbild, so doch wenigstens einen Überblick über die Welt aus einem Puzzle chaotischer Realitätspartikel zu gewinnen.

In Spanien scheint dagegen entsprechend der politischen Entwicklung die Tradition der Beispiel-Novelle vom Mittelalter her gar nicht wie in Italien durch die Schwank-Novelle durchbrochen worden und die Heteronomie des Mittelalters ziemlich nahtlos in die der Gegenreformation übergegangen zu sein.

Wie für die Gattung der Fabel allgemein kennzeichnend erschöpfen sich die – auch die nicht von Tieren handelnden – kurzen Geschichten aus dem »Fabulario« (1613, ed. M. Menéndez y Pelayo, 1915) des Sebastian Mey weitgehend in ihrem Verweis-Charakter auf eine daraus zu ziehende Lehre. Ebenso haben die in die »Coloquios satíricos« (1553; ed. M. Menéndez y Pelayo, 1907) des Antonio de Torquemada und in dessen Hauptwerk, den essayistischen »Jardín de flores curiosas« (1570; ed. G. Amezúa y Mayo, 1943) eingestreuten Erzählungen lediglich beispielhaften Charakter.

Einen Schritt weiter in Richtung in der von Heteronomie zeugenden Schrumpfung der Beispiel-Novelle gehen diejenigen Autoren, die sich auf die Sammlung von Sentenzen, Apophtegmata und witzigen bis weisen Sprüchen beschränken. Verweist diese antike Tradition bei ihren humanistischen Fortsetzern (vgl. des Erasmus »Adagia«, »Apophtegmata«) noch auf eine christliche oder in philosophischen Werken ausgeführte Ideologie, so degeneriert das Sammeln von Sprüchen allmählich zu einem bloßen autoritätsgläubigen Anhäufen von angeblichen Lebensweisheiten, die als Ariadnefaden durch die verwirrende Gegenwart dienen sollen. Melchior de Santa Cruz verkündet im Vorwort seiner »Floresta española de apotegmas o sentencias« (1574; ed. 1953) ein der Novelle völlig entgegengesetztes ›Gattungsprinzip‹: »aqllos son mas excellentes dichos, los que en pocas palabras tienen encerradas muchas y notables sentencias« (»diejenigen sind die besten Aussprüche, die in wenigen Worten viele und bemerkenswerte Sentenzen enthalten«). Sprüche von Päpsten und Königen in bis zu den Mohren absteigender Hierarchie, werden verbunden mit themenbezogenen (über die Liebe, die Musik etc.), die an die essayistischen Erzähler erinnern.

Enger zur unterhaltenden Fazetie (s. 4. 2.) dagegen sind die Berührungspunkte bei Juan Rufo (»Las seiscientas apotegmas«, 1596; ed. A. Blecua, 1972) und in den beiden Sammlungen des Juan Timoneda »Sobremesa y alivio de caminantes« (1563; ed. B. C. Aribau, 1849) und »Buen aviso y portacuentos« (1564; ed. R. Schevill, 1911).

Prodigien

Parallel zur Tendenz, die Erzählung ganz zu Gunsten einer kaum mehr illustrierten moralischen Sentenz fallen zu lassen, zeigen sich auch Auswirkungen auf die Themen der noch verbleibenden Exempel. Vom Interesse am *Allgemeinen* im mittelalterlichen Exemplum, über das am *Besonderen* in der Novelle degeneriert es schließlich zu einer Vorliebe für das *Absonderliche,* zur Neugier am Abnormalen, Skurrilen, zum Wunder- und Aberglauben in den Prodigiensammlungen. Der Zusammenhang zwischen der Prodigienflut in Frankreich und dem Elend der Religionskriege wird von R. Schenda (1961) mehrfach betont, ebenso wie die Einwirkung auf die Novellistik (S. 137):

»Die um die Jahrhundertwende in Frankreich zur Blüte gelangte Novellenliteratur degeneriert unter dem Einfluß dieser Prodigienliteratur oder anders ausgedrückt, die gleichen sozialen und historischen Gründe, die der Prodigienliteratur förderlich waren, trugen dazu bei, die von einem geordneten gesellschaftlichen Gefüge abhängige Novellenliteratur zu zerstören.«

Von dem oben geschilderten Bemühen nach Ordnung des Chaos abgesehen, gibt es thematisch auch nur geringe Unterschiede zwischen der »Silva de varia lección« (1540; frz. Übersetzung von Cl. Gruget 1552) des Pero Mexía und den essayistischen Autoren. Bei P. Boaistuau verstärkt sich allerdings in den »Histoires prodigieuses« (1560) der Hang zum Monströsen Perversen und Schrecklichen, dem zur gleichen Zeit auch die Abenteuer-Novelle in der Art Bandellos (erste frz. Bearbeitung von eben diesem Boaistuau: »Histoires tragiques«, 1559) frönte (s. u. S. 106 ff.).

Parodistisch ausgeschlachtet werden die beiden Zerfallprodukte der essayistischen Schriften, die Spruchsammlung und die Prodigiensammlung, durch E. Tabourot des Accords mit den dummdreisten Sprüchen (»Apophtègmes«) des Landadligen Sieur Goulard (1586) und in der »Nouvelle fabrique« (1579; ed. Gratet-Duplessis 1853) des Philippe d'Alcripe, alias le Picard (R. Schenda, 1958).

Dieser macht sich über die Flucht in den Aber- und Wunderglauben der Prodigien lustig, indem er 99 (nicht hundert!) haarsträubende, an Münchhausen erinnernde Lügengeschichten auftischt und zum ›Beweis‹ der Exemplarität mit einer meist weit hergeholten ›Moral‹ verbrämt. Die ironische Verbindung zwischen dem gereimten ›gesunden Menschenverstand‹ bzw. der ›Volksweisheit‹ und den erzählten Lügenmärchen überträgt deren Unglaubwürdigkeit auf die ›idées reçues‹ und zerstört die Vorstellung von Authentizität und Exemplarität der Geschichten von Grund auf:

»Pourquoi ne puis-je pas, par vostre foy et la mienne, aussi bien dire verité en pensant mentir, comme plusieurs afferment verité et mentent plus puant que vieux diables?« (S. 8)

Michel de Montaigne

Hierin begegnen sich Philippe le Picard und Michel de Montaigne, der im Frankreich der Religionskriege sowohl das Vertrauen der Antike in die ewige Wiederkehr des Gleichen als auch das des Christentums in die Heilsgeschichte (K. Stierle, 1973, S. 366—375) verloren hat und für den damit das Exempel nicht mehr Beweis für eine heteronome Ordnung, sondern nur noch Gegenstand der Reflexion über die heteronome Unordnung der Welt sein kann. So wird im »Essai« sowohl die Geschichte problematisiert als auch die daran anzuknüpfende moralische Sentenz. Menschliche Reaktionen sind nicht vorhersehbar, Handlungen sind nicht im voraus richtig einzuschätzen. Erst der radikale Rückzug und die Beschränkung auf das Subjekt erlaubt es Montaigne, der sich, abgesehen von Marguerite de Navarre, durch seine soziale Stellung und seine politischen Wirkungsmöglichkeiten über seine novellenschreibenden Zeitgenossen erhebt, die Geschichten als Realitätspartikel ›versuchsweise‹ als »Essai«, zu ordnen und in einen geistigen Zusammenhang zu stellen. Der Skeptizismus der »Essais« erkennt die Geschichten als Beispiele dafür, daß es keine endgültigen Wahrheiten mehr gibt; das Exemplum hat seine Funktion ins Negative verkehrt, es ist zum Anti-Exempel geworden, selbst wenn es der Erzählstruktur nach ähnlich geblieben ist. Für die Exempel-Struktur ist nur entscheidend, daß die systematische Ordnung bzw. Unordnung auf die sie bezogen ist, eine *heteronome* Ordnung ist.

In Italien war die literarische Tradition der Novelle offensichtlich lebendiger als in Frankreich, wo die historischen und sozialen Verhältnisse ziemlich unmittelbare Reaktionen in der Struktur der Kurzerzählung auslösten. Die Kanonisierung Boccaccios als eines der großen volkssprachlichen Vorbilder durch die Humanisten mag die andersgeartete Reaktion auf die historische Situation mitbedingt haben, die sich weitgehend mit einer Verlagerung von der Schwank- zur Abenteuer-Novelle begnügte. Nachdem die bürgerliche Autonomie der italienischen Stadtrepubliken zerstört und ihre Unabhängigkeit nach vielen Kriegen verloren gegangen ist, bleibt resignierter Pessimismus. Das Mißtrauen in die Natur des Menschen, der der Sklave seiner eigenen Instinkte und der ihn unterdrückenden Tyrannen ist, die Verdorbenheit der Sitten bringen Machiavellis »Belfagor« (ed. M. Bonfantini, 1954) dazu, die Hölle der Erde vorzuziehen. Die Novellenautoren reagieren teils mit der Flucht in die Abenteuer- (Bandello) und Märchen-Novelle (Straparola, Basile).

Die Tatsache, daß in Italien in der zweiten Hälfte des 16. Jh.s die Novelle zwar vielfältige Innovationen erfuhr, aber an einer ausgeführten Erzählung, sei sie nun abenteuerlich oder auch märchenhaft, festgehalten wurde, in Frankreich dagegen ein breites Spektrum weitgehend reduzierter Erzählformen (Beispiel-Novelle) und ausgeweiteter diskursiver Teil (essayist. Rahmen) vorherrschte, läßt sich wohl nicht allein aus der gefestigten Novellentradition in Italien erklären. Denn gerade zu Beginn dieses Zeitabschnitts erlebte Frankreich eine Invasion von neuerlichen bzw. erstmaligen Übersetzungen italienischer Werke. Die zweite, von Marguerite in Auftrag gegebene Übersetzung des »Decameron« von A. Le Maçon (1545, ed. P. Lacroix, 1873), eine neuerliche Ausgabe der Fazetien Poggios (1549), ab 1559 die Bandello-Bearbeitung durch P. Boaistuau und F. Belleforest, ab 1560 die Übersetzung G. Straparolas, 1583/4 die Giraldis etc. Vielmehr war es wohl die relative politische Stabilität des inzwischen vornehmlich unter Habsburgischen Fittichen gesammelten Italiens und die geistige und religiöse Befriedung unter dem Einfluß des Konzils von Trient, die die Kontinuität der Novellentradition sicherte, aber auch die Konventionalität verschuldete, die beim Rahmen zu beobachten war. Die mit Verbissenheit geführten, als Religionskriege verbrämten Bürgerkriege bewirkten in Frankreich eine grundsätzlichere Verunsicherung aller Normen und eine vollkommenere Zerstörung der historischen und gesellschaftlichen Voraussetzungen der Novelle zu Gunsten der Prodigien und der Essais.

Wenn man von Spanien absieht, wo sie über eine ununterbrochene Tradition verfügt, erscheint die Beispiel-Novelle historisch nur ›am Rande‹ der Novellenentwicklung, nimmt man als deren Zentrum die anschließend besprochene Schwank-Novelle und deren historische Voraussetzungen. Von dem besonderen Fall der »Novelas ejemplares« wird an anderer Stelle (4.3.) die Rede sein, da sich in ihnen die exemplarische Funktion mit der Struktur einer Abenteuer-Novelle vereint.

4.2. Die Schwank-Novelle — Motto und Beffa

Die Schwank-Novelle, als der Novellen-Typ, der oft mit der Gattung Novelle insgesamt identifiziert wird, ist die einzige, deren Untersuchung von der Forschung detailliert und systematisch in Angriff genommen wurde. In diesen Bereich fällt teilweise die schon erwähnte Untersuchung über das ›Triangle Erotique‹ von M. Olsen (1976), und vor allem die Veröffentlichungen der Gruppe um A. Rochon (1972 ff.), die in mustergültigen Einzelstudien zu den italienischen Renaissancenovellisten und zu ihrer sozialen Stellung fundierte Ergebnisse für eine umfassende Klärung des Problems ›Formes et significations de la »Beffa«‹ bereitstellt. (Zur germanistischen Schwank-Forschung vgl. E. Strassner, 1968.)

Bei der Nachzeichnung der strukturellen Unterschiede zwischen Exempel und Novelle wurde deutlich, daß sich alle Stoffe ohne Einschränkung sowohl dazu eignen, das Wirken der Vorsehung zu illustrieren, der aufgrund der göttlichen Allmacht und Allwissenheit ausnahmslos alle Phänomene der Realität zugerechnet werden können, als auch ebensogut dazu, durch Gegenüberstellen widersprüchlicher Exempel die vollkommene Unordnung und Relativität der Wertsysteme zu demonstrieren. Siegt in einer Erzählung die Tugend, so ist sie beispielhaft für Gottes Gerechtigkeit auf Erden, siegt dagegen das Laster, so kann das Beispiel abschrecken durch den Hinweis auf die Strafe im Jenseits; hält man beide Geschichten nebeneinander, ohne die göttliche Vorsehung zu bemühen, so exemplifizieren sie die vielfältige bis chaotische Realität.

Zwischen diesen beiden Extremen, der heteronomen Ordnung und der heteronomen Unordnung, denen die Beispiel-Novelle zugeordnet wurde, liegt die *autonome* Ordnung wie sie Boccaccio auf der Basis des bürgerlich-kommunalen Selbstbewußtseins im »Decameron« ästhetisch gestaltet (C. Segre, 1971; A. Fontes-Baratto, 1972; M. Olsen, 1976). Zu diesem Zweck eignen sich allerdings nicht mehr alle Stoffe gleichermaßen, sondern vorzüglich diejenigen, die Tugenden der neuen herrschenden Schicht in Szene setzen.

Innerhalb der Gesamtökonomie des »Decameron« nehmen die Schwank-Novellen eine Vorrangstellung ein. Bei einer groben Gliederung nach Tagesthemen, die allerdings als Ausdruck der selbstgewählten Freiheit nie sklavisch (von Dioneo bis auf den letzten Tag nie) eingehalten werden, überwiegen in den themenfreien Tagen (I, IX) Beffe und Motti, der Tag VI ist ganz dem Motto, III, VII und VIII ganz der Beffa — immer mit den obengenannten Einschränkungen — gewidmet; der Tag X wurde mit seiner Verherrlichung von Tugenden bereits in Verbindung zur Beispiel-Novelle gebracht. Die übrigen Tage (II, IV, V) gehören mit unerwarteten und ungeplanten Glücks- und Unglücksfällen weitgehend zu den Abenteuer-Novellen. Beffa und Motto machen also zusammen etwa zwei Drittel der Novellen aus und bestimmen damit, wenn auch nicht ausschließlich, den Charakter und die ideologische Funktion der Sammlung wesentlich.

Die Bürger und gleichzeitig Herren der oberitalienischen Stadtrepubliken besaßen ein neues Selbstbewußtsein: sie hatten sich von feudalen und religiösen Abhängigkeiten emanzipiert aufgrund ihrer persönlichen Erfolge in bürgerlichem Handwerk, Handel und Gewerbe und hatten die Erkenntnis gewonnen, daß das Vertrauen auf die eigene Tüchtigkeit und Cleverness (»forza e avvedimento«) statt auf die Vorsehung sie als Händler, Bankiers und Manufakturbesitzer geradesoweit, ja weiter bringt, als das Beharren auf überkommenen ökonomischen Strukturen, wie der bloßen Agrarwirtschaft. Dieses Selbstbewußtsein findet seine adäquate ideologische und strukturelle Ausprägung in der ›Beffa‹ (ital. ›beffare‹, mit jemandem in Wort oder Tat seinen Spott treiben, jemandem einen Streich spielen). Hier sind die Tugenden, die den gewitzten und geschäftstüchtigen Kaufmann auszeichnen, Trumpf: das schnelle Reagieren auf unvorhergesehene Ereignisse (prontezza), Einfallsreichtum (ingegno) und ein gutes Maß an Geriebenheit (inganno), das augenzwinkernd hingenommen wird, wenn die Unternehmung von Erfolg gekrönt ist.

Voraussetzung für einen gelungenen Streich ist die grundsätzliche soziale Gleichstellung der Partner. Ein Knecht wird es nicht wagen, seinem Herren einen Streich zu spielen — er zieht sich höchstens mit einem treffenden Spruch, einem Motto aus einer schwierigen Lage —, und der Herr hat den Streit nicht nötig, um seinen Willen zu bekommen, denn er kann befehlen, oder aber die Beschäftigung mit dem Knecht ist ohnehin unter seiner Würde. Das heißt nicht, daß es in der Beffa keine Standesunterschiede mehr gäbe, doch der Sieg des Niedrigerstehenden darf nicht von vornherein ausgeschlossen sein.

Ähnliches gilt für die Stellung der Frau, die in einem System der freien Konkurrenz ihren Vorteil dort wahrnimmt, wo er sich bietet, gleichgültig, ob sie ihrem Ehemann schadet oder nicht. Sie gewinnt jedoch bei Boccaccio nicht nur an Autonomie gegenüber den über sie bestimmenden Autoritäten (Eltern,

Ehemann etc.), sondern auch gegenüber der misogynen mittelalterlichen Behauptung von der Triebbestimmtheit des weiblichen Geschlechts, indem sie einen inopportunen Liebhaber auch abzuweisen versteht. Implizit wird das illegale Verhalten der Frau, der freie Liebesgenuß, gebilligt durch die narrative Entwicklung, d. h. den straffreien Ausgang der Beffa und den Spott über den gehörnten Ehemann. Doch geht die Billigung nicht soweit, daß der Ehemann diese Emanzipation offen anerkennen müßte, er wird nur getäuscht. Der Schein der offiziellen Moral bleibt bestehen.

Als »Ideologisches« (P. Macherey, 1971) dieser Personenstruktur der Beffa wäre demnach Autonomie und Gleichberechtigung der Individuen auszumachen. Über die Realität zur Zeit Boccaccios ist damit allerdings noch nichts gesagt. Man kann sich darüber streiten, ob es sich im »Decameron« um einen utopischen Entwurf oder aber um eine ideologische Verschleierung der wahren Verhältnisse handelt, fest steht jedenfalls, daß Ehebruch gesetzlich nach wie vor strafbar und die Gleichberechtigung der Bürger in ihrer Republik nur sehr unvollkommen verwirklicht war. Von den ca. 100 000 Einwohnern der Stadt hatten ungefähr 20 000 politische Rechte, die allerdings nur von wenigen Tausend aktiv wahrgenommen werden konnten (vgl. P. Brockmeier, 1972, S. 9 Anm. 37 nach E. Sestan, 1953).

Daß der Beffatore aufgrund seiner Autonomie und eigener Intelligenz souverän mit den Gegebenheiten der Realität schalten und sie zu seinem Vorteil und zum Nachteil des Beffato ordnen kann, hat seine unmittelbaren Auswirkungen auf die Personen- und Handlungsstruktur. Alle für die Handlung notwendigen, d. h. vom Protagonisten einzuplanenden und ihn bedingenden Details — das Raum-, Zeit- und Sozialgefüge — werden schon in der Exposition ausreichend dargestellt, und man kann sicher sein, daß sie im Ablauf einer folgerichtigen und meist linear abgespulten Handlung nach und nach vollständig ins Spiel gebracht werden. Das bedeutet eine strenge Funktionalisierung der Erzählelemente und den Verzicht auf sich selbst genügende Bravourstückchen und Exkurse, aber auch eine notwendige Ergänzung und narrative Ausgestaltung der bloßen Erzählkerne (noyaux) durch die vielfältigsten Umstände (indices), die das Handeln der Personen bedingen und erklären. Ist der Kampf zwischen zwei Gegenspielern bzw. zwischen dem Zufall und der menschlichen Initiative und Erfindungsgabe einmal ausgebrochen, so bestätigt sich die Macht einer säkularisierten Vorsehung in Form kluger Vorsicht, indem sie auch den unangenehmen, die ursprünglichen Pläne durchkreuzenden Zufall schließlich überlistet und zum eigenen Vorteil wendet (z. B. »Decameron« VII, 2; »Cent Nouvelles nouvelles« 75). Ganz in ihrem Element, da durch den Zufall nicht mehr zu stören, ist die Beffa allerdings, wenn sie das Vergangene und Gegenwärtige zu meistern hat. Das geschieht meist durch geschickte Umdeutung offensichtlicher Sachverhalte — immer wieder variiertes Muster ist die in flagranti ertappte Ehefrau —, die so weit gehen kann, daß der Ehemann seinen eigenen fünf Sinnen nicht mehr traut (»Decameron« VII, 9). Entgleitet der Zufall jedoch dem Zugriff der Novellenhelden, so gehört die Novelle zum Typ der Abenteuer-Novelle (s. u. 4. 3.), selbst wenn sie glücklich endet (wie z. B. »Decameron« II, 2).

Die Beffa ist eine Aktion bzw. Reaktion gegen die Konkurrenz, sei es in Geschäfts- oder Liebesangelegenheiten, wobei die Niederlage der einen Partei — wie weiter oben ausgeführt — nicht durch Standesunterschiede, sondern durch soziale Abnormität gerechtfertigt wird. Als Norm gilt bei Boccaccio der aufgeschlossene Angehörige der Florentiner Handelsbourgeoisie, des ›popolo grasso‹.

Um den Sieg eines freien Geistes und klugen Kopfes über einen anderen darzustellen, wobei keiner von beiden von vorne herein, allein schon durch seine Geburt oder durch seinen Stand bevorzugt wird, sondern beide sich mit ihren natürlichen Waffen wie Schönheit, Jugend, Witz etc. gegenüberstehen, bedarf es zur moralischen Begründung eines solchen Sieges über den Partner einer Abwertung auf anderem Gebiet. Diese Abwertung des einen gegenüber dem anderen in einer dem utopischen Entwurf nach gleichberechtigten und nicht mehr standesgebundenen Gesellschaft wird nur dadurch erträglich, daß der eine der Lächerlichkeit preisgegeben wird, indem man ihn in Konflikt mit den in dieser Gesellschaft geltenden Normen bringt: er ist zu dumm, zu ungeschickt, zu eifersüchtig etc. Die Beffati sind also negative Tugendhelden: die Dummen, Häßlichen, Schwerfälligen, Bigotten, Eifersüchtigen, Impotenten und Geizigen. Gehören Beffatore und Beffato verschiedenen Ständen an, so muß in einer Gesellschaft, in der — wie bei Boccaccio wenigstens der Ideologie nach — die Standesgrenzen dem Prinzip der persönlichen Leistung weichen, dem Beffato ein Normverstoß gegenüber den Gesetzen eben dieser Gesellschaft vorgeworfen werden können: zur Übertölpelung eines Ehemanns genügt es nicht, daß er bürgerlich und seine Frau adlig ist, sondern sie muß dazuhin klüger und er dümmer sowie möglichst noch alt, impotent und vertrottelt sein. In einer standesgebundenen Gesellschaft wie etwa bei Masuccio herrscht im Verhältnis Beffatore-Beffato immer die ›Hack-Ordnung‹: der Adlige ist eben immer gewitzter als der Bürger, der Bürger immer klüger als der Bauer; die Geistlichen nehmen eine gewisse Sonderstellung ein, da sie je nach ihrem Platz in der Hierarchie zu den Beffatori oder auch zu den Beffati gehören können.

Die Standesinteressen eines Autors oder derjenigen, denen er dient, lassen sich folglich mit ziemlicher Genauigkeit ablesen an der Personen- und Handlungsstruktur der Beffe (M. Olsen, 1976). So fiele es zum Beispiel Masuccio nie ein zu schildern, daß ein Adliger von einem Bauern geprellt wird, denn als adliger Sekretär des Grafen von Salerno ist er fest in die sizilianische Feudalhierarchie integriert. Bei Boccaccio als einem Vertreter des Bürgertums, das sich durchaus mit dem florentinischen Adel messen konnte, wäre es im Gegensatz zu Masuccio möglich gewesen, das Standesschema der Beffa umzukehren. Doch Boccaccios Ideal einer Verbindung von bürgerlichen und adligen Tugenden, das der sozialen Wirklichkeit einer Vermischung von Adel und reichem Bürgertum im ›popolo grasso‹ von Florenz entsprach, machen es ihm, als einem Bürger von adligem Lebensstil, nur in seltenen Fällen (III, 2) möglich, einen Niedrigergestellten als einem Adligen überlegen zu zeigen: als Geprellte und Verspottete bleiben bei Boccaccio folglich nur gleichgestellte, aber ›abnorme‹ Bürger, Bauern und Geistliche der niedrigeren Ränge übrig.

Bevor jedoch die verschiedenen Ausformungen der Beffa im Lauf der Geschichte im Zusammenhang mit dem außerliterarischen Kontext untersucht werden, scheint es mir, ausgehend von der ›sozialen Indikation‹ der Beffa, sinnvoll, aus der Beffa die Untergruppe der Motti, der Witzworte und klugen, schlagfertigen Antworten auszugliedern (G. Lebatteux, 1972, S. 194). Das ist im einzelnen Fall manchmal schwierig, da kluge Handlung und kluges Wort oft Hand in Hand gehen. Doch zeigt schon die Trennung der beiden Termini in den Tagesthemen des »Decameron« (VI: Motti; VII, VIII: Beffe) wie auch die Analyse des vorliegenden Textkorpus, daß es charakteristische Dominanzverschiebungen zwischen Streichen (Beffe) und schlagfertigen Antworten (Motti) gibt. Die Differenz leuchtet unmittelbar ein, wenn man sich zwei Personen verschiedenen

Standes konfrontiert vorstellt: es besteht ein offensichtlicher Unterschied zwischen einer selbstbewußten, ja vielleicht sogar frechen, aber treffenden Antwort auf das unberechtigte Ansinnen eines Mächtigeren und einem nach allen Regeln der Kunst durchdachten und ausgeführten Streich. Der Witz ist verbal (A. Wellek, 1949; H. Bausinger, 1958), die Überlegenheit des Schwachen momentan, geistig und verborgen (»Decameron« I, 5: »vertù nascosa nelle parole«), der Streich ist meist materiell und verkehrt das Verhältnis zwischen Mächtigen und Schwachen ostentativer, da er den Gefoppten, oft ohne daß dieser es selbst weiß, der Lächerlichkeit preisgibt. S. Freud (1970, S. 134) sieht entsprechend die Bedingungen für den Witz darin, »daß der Person die Kritik oder Aggression direkt erschwert und nur auf Umwegen möglich wird.«

Bei einer Untersuchung der Beffa auf ihren Zusammenhang mit dem geschichtlichen und gesellschaftlichen Kontext wird man im Bereich des Ideologischen der Erzählstruktur nicht nur auf die Verteilung der Personen nach Ständen zu achten haben, sondern auch auf das Verhältnis von Beffe und Motti. Da Motti auch in einer vorwiegend fremdbestimmten Gesellschaft möglich sind, Beffe dagegen zu ihrer Verwirklichung eine weitgehend autonome Lebensgestaltung ihrer Helden verlangen, zeigt ihre Verwendung entsprechende ideologische Muster bei Autor und Publikum an.

Schon im Kapitel über den Rahmen und die Beispiel-Novelle fiel die Nähe des Motto zum Weisheitsspruch und zum dialogischen Exempel auf, allerdings mit dem Unterschied, daß nicht nur Belehrung vermittelt wird, sondern daß eine Art geistiger Wettstreit zwischen den beiden Partnern des Motto ausgetragen wird, der damit endet, daß sich der Mottegiato geschlagen gibt.

Ein Motto kann in verschieden ausführlicher narrativer Ausgestaltung erscheinen. Entweder als kurzes ›Bel parlare‹, wobei nur die notwendigsten Umstände erwähnt werden, oder als humanistisch gelehrte Form der Facetia, die die Prägnanz der lateinischen Sprache als Vorteil nutzt, um den Spruch noch pointierter vorzutragen. Schließlich gibt es das Motto am Ende einer sorgfältig ausgestalteten Geschichte, die Personen und Handlungen geplant auf dieses Motto hin ausrichtet. Parallel zur Umgestaltung des Exempels zur Novelle läßt sich auch hier ein Zusammenhang zwischen der Entwicklung der Gesellschaft und der narrativen Gestaltung des Motto beobachten. Je größer die ökonomische Unabhängigkeit und politische Selbstbestimmungsmöglichkeit der Schicht ist, der der Autor angehört, desto mehr wird diese Selbstbestimmung in eine zeitliche, räumliche und soziale Individualisierung der Aktanten umgesetzt; andererseits gilt: je größer die Abhängigkeit, d. h. zum Beispiel der Verlust bürgerlicher Autonomie im 15.—16. Jh., desto ›nackter‹ das Motto. Die Personen werden ganz schematisch vorgestellt, ihre Handlungsweise rudimentär motiviert, so daß sie nur kurzatmig auf eine plötzlich eingetretene Situation verbal zu reagieren vermögen. So läßt sich die Abhängigkeit der Form der Novelle von der gesellschaftlichen Entwicklung anhand des Motto zweifach verfolgen: einmal am Umformungsprozeß des Motto vom Bel parlare über die Facetia und die Joyeux Devis bis zum narrativ ausgestalteten Motto im Stil Boccaccios, zum anderen an dem Anteil, den das Motto insgesamt an den Novellensammlungen im Verhältnis zur Beffa und zur Abenteuer-Novelle hat.

»Novellino«

Das Vorherrschen des Bel parlare, das das »Novellino« wesentlich von den Exemplasammlungen unterscheidet, ist der ästhetische Ausdruck eines zu Ende des 13. Jh.s sich entwikkelnden bürgerlichen Selbstbewußtseins, das sich allerdings noch in den Rahmen einer festen religiösen Ordnung und eindeutiger Standesgrenzen zwischen Adel und Bürgertum (vgl. das Fehlen eines Rahmens) einfügt. Das ökonomisch erstarkte und dem Adel auf diesem Gebiet zum Teil überlegene Bürgertum stellt auf diese Weise ostentativ seine geistige Ebenbürtigkeit unter Beweis. Daß das »Novellino« das Bel parlare und noch kaum die Beffa wählt, um diese ›Gleichberechtigung‹ zum Ausdruck zu bringen, zeugt von einer gewissen Unsicherheit der neuen, erst um Anerkennung und Durchsetzung bemühten bürgerlichen Macht. Tatsächlich setzte sich der ›Popolo‹ etwa in Florenz erst in der zweiten Hälfte des 13. Jh.s (die Zeit der Kompilation des »Novellino«) institutionell gegen die ›Magnati‹ durch (Ordinamenti di giustizia 1293, G. Tabacco, 1974, S. 192 f.). Die Knappheit und Nüchternheit des Stils (S. Battaglia, 1955), die fehlende Individualisierung und psychologische Motivierung der Personen sind ebenfalls Zeichen dafür, daß der Mensch noch nicht als autonome Individualität gesehen wird, die ihr Schicksal selbst in die Hand nimmt.

Den starken Einfluß des Adels auf die bürgerliche Schicht, aus deren Umgebung das Werk stammt (ed. G. Favati, S. 90), zeigt sich auch in dem breiten Raum, den adlige Protagonisten und höfische Tugenden einnehmen. In Anerkennung dieser adligen Überlegenheit kommen im »Novellino« auch noch Novellen vor, die ein Motto eines Höhergestellten gegenüber einem Niedrigergestellten wiedergeben (29, 43, 44).

Ein solches Witzwort kann in seiner Funktion, den Gegner zum Verstummen und zum Einlenken zu bewegen, durch eine Parabel ersetzt werden. Die Vorlage zur Boccaccio-Novelle von den drei Ringen (I, 3) aus dem »Novellino« (73) zeigt die schon weiter oben erwähnte strukturelle Verwandtschaft des Bel parlare mit dem Exempel. Die Parabel hat innerhalb der Novelle die Funktion eines Exempels; allerdings steht dieses Exempel nicht mehr allein, ohne novellistische Umrahmung im Verein mit anderen Exempeln wie die Fassung des gleichen Stoffes in den Exemplasammlungen, sondern die Parabel wird als befreiendes Bel parlare gegenüber einem Mächtigeren verwendet. Die ewiggültige Lebensweisheit eines Exempels wird in der 73. Novelle des »Novellino« schon in eine konkrete Situation eingebettet, die allerdings noch zu allgemein bleibt, um einer individuellen Ausgestaltung der Personen Raum zu geben. (Die Protagonisten erhalten daher noch keine Eigennamen, sondern sind durch ihre Funktion bestimmt: Soldano gegen Guideo.). Dies war erst dem Vertreter kommunaler Ideologie, Boccaccio, möglich, der beide Personen in der Novelle historisch mit Eigennamen (Saladin und Melchisedech) konkretisiert, psychologisch individualisiert und problematisiert (H.-J. Neuschäfer, 1969, S. 13 16). Die Novellen des Sechsten Tages im »Decameron«, der den Motti gewidmet ist (»[...] si ragiona di chi con alcuno leggiardo motto, tentato, si riscosse, o con pronta risposta o avvedimento fuggì perdita o pericolo o scorno« — »es wird erzählt von einem, der, auf die Probe gestellt, durch ein leicht hingesagtes treffendes Wort die Oberhand behielt oder durch eine prompte Antwort oder durch Geistesgegenwart Verlust, Gefahr oder Kränkung vermied.«), bereiten die Motti sorgfältig vor: Cisti fornaio (VI, 2) wird individualpsychologisch motiviert, er fädelt die entscheidende Begegnung selbst ein und überläßt nichts dem Zufall. Daher bricht die Novelle nach dem Motto auch nicht mehr wie im »Novellino« meist abrupt ab, sondern sie nimmt sich die Zeit, die Personen auch noch darauf reagieren zu lassen. Da das Motto bei Boccaccio nicht mehr nur die Waffe des ohnmächtigen Unterlegenen, aber geistig Überlegenen ist, sondern eine der Waffen im Wettstreit potentiell gleichberechtigter Partner, bleibt es nicht isoliert, sondern wird meist in Aktionen eingebettet und damit der Beffa angenähert bzw. in der Funktion mit ihr identisch.

Ist der Unterschied in der narrativen Entfaltung des Stoffes zwischen dem Bel parlare und der Beffa einmal geklärt, so wird auch verständlich, warum das »Novellino« so lange in seiner stilistischen und strukturellen Eigenart verkannt werden konnte: das Bel parlare wurde nicht an dem es bedingenden historischen Kontext gemessen, sondern an demjenigen Boccaccios, der die Beffa und das narrativ ausgestaltete Motto begünstigte.

Wählt man als Vergleichspunkt nicht Boccaccio, sondern einen altfranzösischen Romanstoff (»Mort le roi Artu« — »Novellino« 82; vgl. dazu C. Serge, 1971 a), so zeigt sich in der Umstellung der Motiv-Sequenz und der Aktanten-Kombination eine Verschiebung der Thematik vom Adligen zum Bürgerlichen und eine Konzentration der relevanten Erzählelemente in der auf sich gestellten Novelle, die nicht mehr auf einen ausführlichen Kontext wie beim Roman zurückverweisen kann. Der Stil der »Novellino«, besonders in seiner kürzesten und prägnantesten Fassung in der Ausgabe Gualteruzzi (1525), ist, wie S. Battaglia (1955) überzeugend dargelegt hat, nicht rohes Unvermögen, sondern Absicht, die, an der Bibel und an antiker rhetorischer Tradition geschult (L. Russo, 1959), die Kürze als ästhetische Qualität bewußt einsetzt.

Franco Sacchetti, Giovanni Sercambi

Die ökonomische und soziale Krise der Florentiner Gesellschaft am Ende des 14. Jh.s im Gefolge der großen Pest und fortgesetzter Kriege, zusammen mit der Bedrohung der Unabhängigkeit der Stadt von außen und innen, wirkten sich bei Sacchetti nicht nur im Fehlen des Rahmens, sondern auch in der Form der einzelnen Novellen aus (M. Marietti, 1975). Immer noch, ja sogar mehr als bei Boccaccio steht die Schwank-Novelle im Vordergrund. Jedoch ist es nicht mehr der Beffatore, der seinen Ingegno in vollem Selbstbewußtsein, aber unter Wahrung gesellschaftlicher Umgangsformen (cortesia) distanziert und überlegen planen und handeln läßt, sondern die Beffatori Sacchettis verzichten auf den Schein von Harmonie und Höflichkeit, den Boccaccio über die unbarmherzige Konkurrenz des Geschäftsalltags breitet. Obwohl selbst adliger Herkunft, gibt er sich über das Verhalten der Adligen keinen Illusionen hin (Novelle 153: »la cavalleria è morta«). Der Niedergang der Kommune zeigt das tatsächliche Scheitern der Utopie Boccaccios von einer bürgerlich-demokratischen Gesellschaft adliger Gesittung. Bei Sacchetti herrscht die nackte Bosheit, Gewalt, Rücksichtslosigkeit, Habgier und sexuelles Verlangen. Da das Verhältnis zu den Mitmenschen, vor allem den Mächtigen unter ihnen, unberechenbar, d. h. nicht mehr von sozialen Tugenden und allgemein beachteten Umgangsformen geregelt ist (Nr. 4: »Molto è scura cosa, e gran pericolo, d'assicurarsi dinanzi a'signori [...]« — »Es ist eine sehr undurchsichtige und gefährliche Sache, sich gegenüber den Herren zu versichern.«), kann sich die Handlung der Beffa auch selten von langer Hand vorbereitet entwickeln, sondern aus einer Not- oder Gefahrensituation heraus wird prompt reagiert. So herrscht bei Sacchetti eine zur »truffa«, zum »inganno«, zur Anekdote, hauptsächlich aber zum Motto reduzierte Beffa vor.

F. Ageno (1958; S. 294) sieht daher fast mehr Ähnlichkeiten mit einer Sammlung von Fazetien als einer von Novellen. Sacchetti verleiht dem Wort fast magische Gewalt, denn er ist sich durchaus bewußt, daß das Motto die einzige Waffe der Benachteiligten und Unterlegenen ist, wenn ihnen die Möglichkeit zu handeln, wie sie der Beffa zugrunde liegt, genommen ist. (Novelle 254: »In questa novelletta si puote comprendere di quanta virtú sono le parole, quando uno mottetto [›questo è piccol mangiare a tanto bere‹] d'uno vile marinaio si può dire avesse tanta virtù che uno così crudele ammiraglio facesse diventare umile.« — »In dieser kurzen Novelle kann man sehen, welche Kraft Worte haben können, wenn schon der Ausspruch eines gemeinen Matrosen [bevor er ins Meer gestoßen wird, sagt der Verurteilte zum grausamen Sieger mit Hinweis auf die Henkersmahlzeit: ›das ist aber wenig Essen für so viel Trinken‹] die Kraft hatte, einen so grausamen Admiral demütig werden zu lassen.«)

Ein Hang zum Skurrilen und Bizarren, wie man ihn später gesteigert in den Prodigien wiederfindet, kommt bei Sacchetti in Novellen zum Ausdruck, die der Beffa geradezu entgegengesetzt sind und eher zum Typ der Abenteuer-Novelle passen. Ihre Helden sind nämlich keine vernünftig planenden Menschen, sondern die Hauptakteure sind Tiere, deren Benehmen unabsehbare, eher schadenfrohes Gelächter als Tragik hervorrufende Verwicklungen (Nov. 159, 160, 208) nach sich zieht.

Ein empfindlicher Gradmesser für die Vorstellungen von der Fähigkeit zur Selbstbestimmung des Menschen ist die Einstellung zur Liebe und, davon abhängig, die Einstellung zum weiblichen Geschlecht. Dem Menschen, wie es Boccaccio tut, einen natürlichen und gleichzeitig vernünftigen Gebrauch seiner Liebesfähigkeit zuzutrauen, zeugt von einer hohen Vorstellung von seiner Fähigkeit zur Selbstbestimmung allgemein. Sinkt dieses Vertrauen in die Selbstbestimmung in den Zeiten des wirtschaftlichen und sozialen Niedergangs, so ist davon die Beurteilung des ›schwachen‹ Geschlechts besonders betroffen. An die Stelle vernünftiger und natürlicher Autonomie im privaten wie im öffentlichen Bereich tritt die Heteronomie weltlicher und geistlicher Herrschaft in Gestalt der Signorie und christlicher Moral.

Wie die Anwendung des eigenen Verstandes im Geschäftsleben wird auch die Liebe jeglicher Veredelung durch die Beachtung gesitteter kommunaler Spielregeln beraubt. Brutalität und rohestes sinnliches Verlangen beherrschen das Handeln der Personen. Dieser Vorgang läßt sich noch eindrucksvoller in G. Sercambis Novellen (C. Bec, 1967, S. 175—198) verfolgen, die an Gewalttätigkeit und an misogynen Vorurteilen diejenigen Sacchettis übertreffen. Trotz seines frommen Rahmens weidet er sich ausführlich an erotischer Metaphorik und findet ein besonderes Gefallen an blutrünstigen Kastrationsszenen (142, 150).

Besonders typisch sind für ihn eine Art Aufsteiger-Novellen (5, 15, 122, 140, 142), die das Glück ihrer Helden mit Märchen-Mechanismen bewirken und daher zu den Abenteuer-Novellen gehören. Die Tatsache, daß Märchenmechanismen eingesetzt werden, um den Helden den sozialen Aufstieg zu ermöglichen, verschleiert und entlarvt zugleich die reale Schwierigkeit bzw. Unmöglichkeit eines solchen Aufstiegs in einer Gesellschaft, die die politische und ökonomische Macht von einer breiteren Bürgerschaft wieder in die Hände eines einzigen Signore und seiner wenigen Getreuen legt.

Masuccio Salernitano

Masuccios antiklerikale und misogyne Ideologie äußert sich, wie schon beschrieben, vornehmlich im belehrenden Gespräch mit dem fiktiven Adressaten, das den Rahmen ersetzt. Den bisherigen Überlegungen dieser Untersuchung folgend müßten die Erzählungen gegenüber Boccaccio weniger narrativ ausgestaltet, Beispiel-Novellen sein. Tatsächlich sind die Personen kaum individuell, sondern rollentypisch gestaltet. Der Liebhaber, der Hahnrei, die lüsterne Frau, sie verfügen nicht über die für Boccaccio und seinen ideologischen Hintergrund kennzeichnende Doppelpoligkeit des Charakters und Ambivalenz der Wertvorstellungen.

Zur bloßen Demonstration der Schlechtigkeit der Frauen (3. Teil) können sich allerdings Beffe nur eignen, wenn die dazu vorgestellten Frauen in erster Linie Objekt des handelnden Mannes (21, 44), nicht aber selbstbestimmt sind. Auch clevere Frauen erfüllen bei Masuccio dienend und meist stumm (Reden der Frau nur in indirekter Rede wiedergegeben: 11, 14, 32, 34, 38) ihre Funktion, indem sie auf den vom Liebhaber ausgedachten Streich eingehen (11, 12, 13). Nicht die List der Frau, ihr Recht auf Liebe steht im Vordergrund, sondern ihre ›perversen‹ Gelüste nach Sklaven, Mohren, Zwergen, ja dem eigenen Sohn, beschleunigt ihr Verderben. Diese Novellen wären eher dem Typ der Abenteuer-Novelle zuzurechnen, in denen die Helden einem äußeren oder inneren Zwang unterliegen und sich nicht mehr vernünftig selbstbestimmen. Der Verachtung für die Frau als Sexualobjekt steht die Hochachtung der Männerfreundschaft gegenüber, die sich auf Kosten der Frau bewährt (21, 25, 44).

Trotz der Tendenz, eine Erzählung als Illustration für seine Ideologie zu betrachten, behält Masuccio die Beffa für etwa die Hälfte seiner fünfzig Novellen bei (D. Boillet, 1975). Das muß zu Ungereimtheiten führen. Masuccio als poeta minor ist ein überzeugendes Beispiel für einen möglichen Widerspruch zwischen der expliziten Ideologie des Rahmens und dem impli_it Ideologischen der Novellenstruktur. Der antiklerikalen Einstellung Masuccios entspräche nämlich die Zuordnung der Kleriker zu den Beffati (1, 5, 6, 7, 10, 16, 29), die durch den Ablauf der Handlung der Bestrafung oder dem Spott der Laien ausgesetzt werden. Dennoch gibt es auch bei Masuccio Kleriker als Beffatori (z. B. 2, 3, 8), deren durch die narrative Struktur positiv besetztes Handeln im anschließenden Kommentar ausdrücklich verurteilt werden muß.

Gibt es Ungereimtheiten zwischen der Ideologie und der Novellenstruktur, so betreffen diese allerdings nicht die soziale Hierarchie der Personen. Die jungen Adligen haben immer den beau rôle des Beffatore (11, 12, 14, 15, 38). Wenn ein Adliger aufgrund seiner Dummheit gefoppt wird (20), so wendet sich sein Schicksal wie bei einem Märchenhelden: nach der erlittenen Schmach wandert er aus und kommt reich und berühmt zurück. Die adligen Wertvorstellungen bleiben unangetastet und werden durch den Erzählablauf bestätigt (4. und 5. Teil).

Die Sanktionen bei der Überschreitung der Standesgrenzenben sind streng (24, 25), die Mächtigeren spielen ihre »prepotenza« (B. Croce, 1925) hemmungslos gegenüber den sozial schwächeren Schichten aus: sie geben sich nicht mit der Verführung ihrer Frauen zufrieden (15, 12), sondern sie entführen (34, 40, 14) sie und verursachen gar ungestraft den Tod des rechtmäßigen Gatten (11, 38). Tragische Liebesschicksale kommen nur zwischen adligen Protagonisten vor — im Verkehr mit den unteren Schichten und innerhalb dieser genügt die Beffa — und verschleiern mit dem narrativen Trick des unglücklichen Zufalls die tatsächlichen ökonomischen Gründe, die selbst innerhalb des Adels die Reicheren von den Ärmeren trennt, die aber Masuccio nicht wahrhaben will (M. Olsen, 1976, S. 143 ff. zur Novelle 31).

Cent Nouvelles nouvelles

Unter den vier Anforderungen, die der Autor der »Cent Nouvelles nouvelles« nach R. Dubius (1973, S. 7—127) an seine Novellen stellt, fällt die Forderung nach zeitlicher und räumlicher Nähe des Erzählten nicht weiter auf, da sie eng mit dem bekannten Anspruch auf Authentizität verbunden ist. Neu dagegen ist für die Novelle die von den Formen des Exempels und der Facetia bekannte Forderung nach Kürze und Knappheit, die der Autor auch in die Tat umsetzt. Bei einem groben Vergleich zeigt sich, daß seine Novellen durchschnittlich nicht einmal halb so lang sind, wie diejenigen Boccaccios, die er ausdrücklich als Vorbild angibt, aber doch wesentlich umfangreicher als die Fazetien Poggios, die er zwar nicht erwähnt, denen er aber vornehmlich gegen Schluß der Sammlung den Stoff zu vierzehn seiner hundert Novellen entlehnt (L. Sozzi, 1966, S. 458—463). Durch die Verwirklichung dieses Prinzips der Kürze unterscheiden sich seine »bons tours« deutlich von den Beffe Boccaccios.

Zwar situiert und motiviert auch der Autor der »Cent Nouvelles nouvelles« im Gegensatz zur Beispiel-Novelle seine Helden und ihre Handlungen oberflächlich (nur in 6 Novellen werden sie mit Namen genannt), doch ist die psychologische Schilderung der Personen, von wenigen Ausnahmen abgesehen

(26, 47, 77), völlig der Intrige untergeordnet. Die Art der Handlungsmotivation in den »Cent Nouvelles nouvelles« hängt eng mit dem zusammen, was Söderhjelm (1910, S. 116/7), später auch Ferrier (1954) mit der Ausrichtung auf den »trait«, d. h. auf die Pointe der Geschichte meinen:

>»A la façon de l'anecdote, les ›Cent Nouvelles nouvelles‹ placent le plus souvent l'interêt dans le trait. C'est le but où tend tout le récit, et en vue duquel la composition est ordonée: le récit en lui-même, les personnages, les événements antérieurs, tout cela est secondaire pour l'auteur. Chez Boccace le dénouement est une conséquence de ce qui précède; dans les ›Cent Nouvelles nouvelles‹ ce qui précède n'est qu'une préparation du dénouement.«

R. Dubuis (1973) hat diese Charakterisierung durch eine detaillierte Formanalyse nuanciert und sieht die Eigenart der »Cent Nouvelles nouvelles« in der Betonung des »inattendu«. Das Herausstellen des Überraschungseffektes entfernt diese Novelle von der Beffa in der Art Boccaccios, die gerade darauf achtete, die Handlung in allen voraussehbaren Konstellationen durch ein selbstbewußtes, vernünftiges Individuum planen zu lassen und diese Planung auch narrativ auszuführen. Der Autor der »Cent Nouvelles nouvelles« dagegen rückt eher in die Nähe des Witzes, der gerade durch Sprünge und Auslassungen wichtiger erklärender Bindeglieder in der Argumentation gekennzeichnet ist.

Ein Beispiel mag das Vorgehen verdeutlichen: Erwartet man aufgrund der Novellentradition in einer Novelle, in der der Ehemann Frau und Liebhaber in flagranti ertappt, entweder eine ›ruse‹ der Ehefrau oder aber eine (Rache-) Beffa des Mannes, so ergibt die Antwort des Wirts in der 71. Novelle der »Cent Nouvelles nouvelles« eine überraschende Wendung, die in keiner Weise durch eine Charakterschilderung des Ehemanns (etwa als resignierten Trottel) vorbereitet ist (ed. Sweester, 1966, S. 432):

>»Et en reculant subitement, doubtant les empescher et destourber de la doulce oeuvre qu'ilz faisoient, leur dist, pour toutes menaces et tensons: ›Et, par la mort bieu, vous estes bien meschants gens, et a vostre fait mal regardans, qui n'avez pas eu tant de sens, quand vous voulez faire telz choses, que de serrer et tirer les huys après vous. Or pensez que c'eust esté si ung aultre que moy vous eust trouvez! Et, par Dieu, vous estiez gastez et perduz, et eust esté vostre fait decelé, et tantost sceu par toute la ville. Faictes aultrement une aultre foiz, de par le dyable!‹ Et sans plus dire tire l'huys et s'en va.«

Es handelt sich ja durchaus nicht um ein Motto, mit dem der Wirt dem großen Herren trotz seiner sozialen Unterlegenheit Bescheid gibt, sondern es interessiert nur die unerwartete Reaktion. Die List der Frau und des Mannes sind zwar auch in den »Cent Nouvelles nouvelles« vertreten, jedoch auch in erster Linie unter dem Gesichtspunkt einer überraschenden und schnellen Lösung für ein plötzlich auftauchendes Problem, das keine langen Überlegungen und Handlungsarrangements erlaubt. Der Autor liebt daher besonders »bons tours«, die dem ursprünglich als Beffatore Eingeführten gespielt werden (2, 3, 64, 67, 34) oder solche Geschichten, die auf ein tragisches Ende zutreiben und dann doch noch durch einen Streich aufgefangen werden (17, 24).

Aus der Konzeption der Beffa als Selbstverwirklichung eines autonomen und gewitzten Bürgers in vernünftiger Natürlichkeit ergaben sich Konflikte mit dem überkommenen Wertsystem hauptsächlich in Fragen der Moral. Diese ›systemverändernde‹ Tendenz aus einer Position der Stärke, die der tatsächlichen Position der von Boccaccio repräsentierten Schicht entsprach, wird statt von der Beffa vom Motto wahrgenommen, wenn die Autoren und die von ihnen vertretene Schicht geistig zwar überlegen, aber von den Vertretern des geltenden Wertsystems politisch abhängig sind (Poggio, Des Périers).

In den »Cent Nouvelles nouvelles« nun begegnen wir einer eigentümlichen Patt-Situation, die sich in der Art von narrativer Lösung äußert, die M. Olsen (1976, S. 110) »catégories neutres« nennt. Er versteht darunter eine solche Lösung, wie sie vorher anläßlich der 71. Novelle referiert wurde: Der Betroffene reagiert auf den Ehebruch seiner Frau weder positiv (lehnt sich auf, bestraft) noch negativ (gibt sich ostentativ geschlagen). Übertragen auf die Wertsysteme dieser Novelle (ein hochadliger Vertrauter des Herzogs gegen einen einfachen Wirt) kann man sagen, daß keiner der beiden durch den Ablauf der Handlung eindeutig als überlegen dargestellt wird. Weder spielt der Adlige dem einfachen Mann eine Beffa noch umgekehrt, ja nicht einmal ein echtes Motto wird für nötig erachtet. Olsen erklärt diese Eigenart, soziale Konflikte auszusparen, mit einer abgrundtiefen Verachtung für die Frau als bloßes Objekt, wenn sie auch narrativ eine aktivere Rolle spielen darf als bei Masuccio. Anders als bei dem salernitanischen Höfling, bei dem eine strenge, nach Klassen getrennte Moral herrscht, macht es dem Autor der »Cent Nouvelles nouvelles« nichts aus, wenn ein Müller einem Adligen seine Beffa mit gleicher

Münze heimzahlt (3). Diese Haltung gilt jedoch nur in bezug auf sexuelle Amusements; sobald es sich um eine offizielle Eheschließung dreht, fällt die Entscheidung narrativ eindeutig zugunsten der herrschenden adligen Schicht aus (26, 98). Sie versteht es, ihre abgeschlossene Stellung zu verteidigen, ohne deshalb auf eine Berührung mit den unteren, vor allem bürgerlichen Schichten zu verzichten. Sie kann es bei der sozialen Struktur vor allem des nördlichen Burgund sich auch nicht leisten, denn die Handel treibenden mächtigen Städte Flanderns sind einer der wichtigsten Pfeiler der herzoglichen Macht. Die zentrale Gewalt liegt zwar beim Hof, doch ist Burgund unter Philipp dem Guten kein einheitlicher Territorialstaat, sondern ein Konglomerat verschiedener mehr oder weniger selbständiger Territorien, die unter der Person eines Herrschers vereint sind, der jedoch seinerseits trotz aller Machtfülle gezwungen ist, die jeweiligen Sonderrechte zu respektieren (H. Pirenne, [4]1947).

Die ›Kulturschaffenden‹ sind als Höflinge in eine glanzvolle Hofhaltung integriert: »la situation typique de l'écrivain fut celle d'un serviteur.« »L'écrivain typique du XVe siècle se croit obligé d'aller au devant des désirs d'une classe protectrice: la noblesse, aussi bien par le choix des sujets que par la forme littéraire« (J. Rasmussen, 1958, S. 13). So absolutistisch sich der Herzog gebärden mag, so ist er doch gezwungen, seine Macht immer wieder gegenüber der Ausweitung der Privilegien durch die Städte zu verteidigen und sie mit ihnen zu teilen. Die spezifisch burgundischen Verhältnisse erklären die Mischung aus feudal-aristokratischen (ohne Rahmen; Nov. 26, 98) und bürgerlichen (Beffe, selbst gegen Höhergestellte) Elementen des Ideologischen in den »Cent Nouvelles nouvelles«. Es scheint, als würden soziale Konflikte von der Erzählerrunde am Hofe von Burgund dadurch ausgeklammert, daß das Verhältnis der sozialen Schichten zueinander einfach nicht problematisiert und nur von der scherzhaft unterhaltenden Seite genommen wird. Der verschwindende Anteil an auch nur ernst zu nennenden Novellen spricht für sich. Der Unterschied zu einem Autor wie Des Périers, der auch den vergnüglichen Zeitvertreib auf seine Fahnen schreibt, ist auffallend. Des Périers hält der Welt lächelnd, aber kritisch den Spiegel vor, der Autor der »Cent Nouvelles nouvelles« reduziert alles auf amüsante, meist erotische Nichtigkeiten.

Es ist unwahrscheinlich, daß am Hof von Burgund, mit seiner überalterten Pflege eines mittelalterlichen Ritterideals, die Verachtung für die Frau, sei sie adlig oder bürgerlich, zur offiziellen Ideologie gehörte. Vielmehr wird das Problem sozialer Konflikte, wie sie sich etwa bei Boccaccio oder Masuccio aus dem erotischen Dreieck ergeben, durch die vollständige Abwertung der Frau, die sich sozusagen als Konfliktstoff gar nicht lohnt, oberflächlich umgangen. Liebe erscheint nicht als persönliche Bindung zwischen Individuen, sondern nur als sexueller Verkehr mit austauschbaren Personen, der die geltende Sozialordnung gar nicht in Frage stellt, ähnlich wie die gut dreißig Mätressen des Herzogs Philipps des Guten seine legitime Ehe nicht weiter berühren (J. Calmette, 1963).

Fazetie — Poggio

Der Verlust der bürgerlichen Autonomie in den italienischen Stadtrepubliken an die Signorie und die Refeudalisierung wirkte sich auf die Stellung und das Selbstverständnis der Intellektuellen und über diese vermittelt auch auf die Form der Kurzerzählung aus.

Der humanistische Gelehrte des 15./16. Jh.s (A. Rochon, Hg. 1973/74) bezieht seinen Lebensunterhalt und sein Selbstvertrauen nicht mehr aus einer Tätigkeit als freier Unternehmer oder Händler (C. Bec, 1967), wie der Beffatore aus der Welt Boccaccios oder Sercambis, und er fühlt sich dieser Gruppe auch nicht mehr zugehörig. Er lebt gemeinsam mit anderen Intellektuellen am Hof eines Fürsten, dessen Gunst und Pfründe es um jeden Preis, im Zweifelsfall sogar mit Erpresserbriefen wie Aretino, zu erhalten gilt. Die Hauptwaffe gegen die Konkurrenten, aber auch die selbstherrlichen Gönner, bleibt die scharfe Zunge, Witz, Hohn und Spott (J. Burckhardt, 1956, S. 77 ff.). Die Realität, ihre täglichen Schwierigkeiten, werden nun in der Novelle nicht mehr mit klugem Planen und Handeln (Beffa) gemeistert, sondern vorwiegend verbal mit einem treffenden Bonmot (Motto), das seinen Autor als überlegenen Beobachter und Kritiker menschlicher Dummheit, Unkultur und finsteren Aberglaubens ausweist.

So erhält das Motto unter dem Einfluß lateinischer humanistischer Tradition die Form der Fazetie. Diese kurze Form des Mottos, noch prägnanter als das ›Bel parlare‹ des »Novellino«, enthält nur die allernötigsten Elemente einer Erzählung, geradesoviel wie zum Verständnis des möglichst konzise formulierten abschließenden »dictum facetum« nötig ist (Poggio: »nullum ornatus, nulla amplitudo sermonis«) das eine unangenehme Situation auf unerwartete und geistvolle Weise hereinigt (L. Sozzi, 1966, S. 476).

Poggio Bracciolini lebte unter wechselnden Pontifikaten als Sekretär am päpstlichen Hof, der in der damaligen Zeit sich kaum von weltlichen unterschied, und sein nach E. Walser (1914) zwischen 1438 und 1452 verfaßtes und 1477 zum ersten Mal gedrucktes »Liber Facetiarum« diente nach der eigenen Auskunft im Nachwort dazu, dem Ärger über die Mächtigen der Kurie in einem Hinterzimmer (dem sog. »bugiale«) Luft zu machen. »Ibi parcebatur nemini in lacessendo ea quae non probantur a nobis.« Der päpstliche Hof stellte insofern einen Extremfall von Abhängigkeitsverhältnis und Fremdbestimmung dar, nicht nur gegenüber den freien Stadtrepubliken des vorausgehenden Jahrhunderts, sondern auch gegenüber den gleichzeitig in Italien herrschenden Fürsten, als die häufig wechselnden Pontifikate die Gunst des Herrschenden zusätzlich prekär machten.

Auf die im humanistischen Europa sehr beliebte Form der lateinischen Facetia (L. Vollert, 1912), die ihre poetologische Fundierung in G. Pontanus »De Sermone« (ed. S. Lupi, 1954; S. Lupi, 1955) fand, kann im vorliegenden Rahmen nicht näher eingegangen werden. Eine Erwähnung des lateinisch schreibenden Poggio ist jedoch gerechtfertigt durch seinen weitreichenden Einfluß auf die volkssprachliche Literatur und den Beitrag, den er damit zur Thematik und Gestalt der Kurzerzählung in der Renaissance leistete (L. Sozzi, 1966; H. Weber, 1970).

Von Poggio aus gesehen am anderen Ende der kirchlichen Hierarchie steht etwa zur gleichen Zeit der vom Handwerker zum Dorfgeistlichen aufgestiegene Possenreißer Arlotto Mainardi (1396—1484), der es sich aufgrund einer Art Narrenfreiheit erlauben kann, in seinen schon zu Lebzeiten nacherzählten und gesammelten (ed. G. Folena, 1954) Späßen Personen jeglichen Standes zu attackieren. Gutmütige Menschlichkeit und Solidarität mit dem Nächsten verbinden sich mit kritischen Tönen gegenüber den Mächtigen. So äußert er gegenüber der Mutter Lorenzos de'Medici, das beste Almosen sei, den Armen erst gar nicht das ihnen Zustehende wegzunehmen (Nr. 47).

Bonaventure Des Périers

Des Périers hat nach L. Sozzi (1964) als erster Poggios Geist, sein vorurteilfreies und distanziertes Urteilen über die Schwä-

chen der Zeitgenossen adäquat in die französische Literatur
umgesetzt. Seine eher scherzhaft als ernst vorgebrachte Kritik
richtet sich gegen Kaiser und Könige (13), ja selbst gegen die
Gnadenmittel der Kirche (1), und es gibt kaum einen Stand,
der einem anderen irgend etwas voraus' hätte. Adlige (44, 45,
55) sind genauso närrisch und dumm wie Bürgerliche (68, 74),
ja sie gehören zusammen mit den Akademikern (8, 10, 82) sogar eher zu den Beffati (19, 80) als zu den Beffatori (56). In
diesem Fall ist der Adlige auch nicht etwa durch seine Schlau-
heit überlegen, sondern durch rohe Gewalt, denn er schneidet
einem Taschendieb (»coupeur de bourses«) als ›Gegenleistung‹
ein Ohr ab. Selbst die soziale Außenseitergruppe der Narren,
die doch sonst eher als Weise in Zwergengestalt an europäischen Fürstenhöfen dienten, sind bei Des Périers echte Toren.

Als gebildeter Humanist mit der Charge eines Valet de
chambre am Hof der Marguerite de Navarre hat Des Périers
eine ähnliche Schärfe der Formulierung und intellektuelle Distanz gegenüber dem Treiben der Welt wie Poggio. Doch Des
Périers beschränkt sich nicht mehr nur auf das kurze Notieren
von Gesprächs- und Handlungsfragmenten, sondern seine Erzählungen werden breiter, sie geben dem Protagonisten Möglichkeiten zur Selbstbestimmung in der Beffa und narrativ wenigstens knapp ausgestalteten Motti. Die Stellung Des Périers'
ist zwar auch noch abhängig von der Gunst seiner Herrin,
Marguerite de Navarre, doch die Abhängigkeit hat sich gewan-
delt. Als Künstler, Akademiker und Geschäftsleute konnten die
Angehörigen des französischen Bürgertums unter dem frühabsolutistischen System Franz I. in die Noblesse de robe und in wichtige Schaltstellen der Macht aufsteigen. Sie wurden dort sogar
zur Stärkung der königlichen Zentralmacht gegenüber den Adligen durch die Politik des Anoblissement bevorzugt. Das Bürgertum gewann so zwar zunehmend an Macht, aber keine autonome
wie im Florenz Boccaccios, sondern eine vom Monarchen abhängige, der seinerseits wieder auf die Unterstützung durch das Bürgertum angewiesen war, um die zentrifugalen Kräfte der alten
Feudalaristokratie in Schach halten zu können (N. Elias,
1969). Dieser komplexen gesellschaftlichen Konstellation entspricht die Bandbreite der Novellenstruktur bei Des Périers.
Von der kürzesten Parabel (12, 87) über das Motto (3, 4, 5,
etc.) bis zur gut durchgeplanten Beffa finden sich alle Formen.

Allerdings erreichen unter diesen gesellschaftlichen Umständen die Helden nicht die Dichte und die individuelle Ausprägung wie bei Boccaccio, sie sind weitgehend auf ihre narrative

Rolle fixiert, die sie ohne zu schwanken in der Art der »Cent Nouvelles nouvelles« erfüllen. Meist erfährt man weder Namen noch Herkunft, diese äußerlichsten Zeichen eines Wahrheitsanspruchs.

Eulenspiegeleien und Gaunergeschichten, oft mehrere kurze Szenen in einer Geschichte (Curé de Brou: Nr. 33—36; Coupeur de bourses, Nr. 79—81), ja bloße Anekdoten, wie die Schimpfkanonaden zwischen einem Studenten und einem Fischweib (63) und kuriose Unterhaltungen zwischen einer einfältigen Frau und einem Bischof (15), genießen die besondere Vorliebe des Autors, wenn der Witz in der Sprache liegt.

Neben den zahlreichen Motti fallen bei Des Périers Novellen auf, in denen das Motto bzw. die Sprache allgemein keine befreiende Wirkung besitzt, sondern im Gegenteil, denjenigen der ihrer nicht mächtig ist, in schlimme Zwickmühlen bringen kann. Die Latein radebrechenden Clercs (20, 21) machen mit den unverstandenen lateinischen Sprachbrocken üble Erfahrungen. Der übermäßige Gebrauch von Fremdwörtern und übertragenen Redeweisen im Umgang mit einfachen Menschen (40) zeigt die Sympathien des Autors eher auf der Seite des Dümmeren als der des Prätentiösen. Das Gesagte wird auch noch nicht einfach deshalb für richtig befunden, weil es prägnant als Sprichwort formuliert ist (53). Des Périers wendet sich direkt an den Leser und meldet Zweifel an der Glaubwürdigkeit einer Volksweisheit an:

»Qu'avez-vous faict pour devenir aussi riche comme vous estes? – Monsieur, dit il, je vous le diray en deux motz: c'est que j'ay faict grand' diligence et petite despence.« Voylà deux bons motz; mais il faudroit encores du pain et du vin, car il y en a qui ne pourroyent rompre le col qu'ilz n'en croyent pas plus riches.«

Die zuletzt betrachteten Novellensammlungen von Sacchetti, Poggio, Des Périers und die »Cent Nouvelles nouvelles« zeigen alle eine verschieden starke Tendenz zum Motto und zur Verkürzung der Beffa ins Anekdotische. Ein Längenvergleich gibt insofern einen ersten Anhaltspunkt für die Interpretation, als mit der Kürze eine Vorentscheidung gegen eine komplexe Darstellung menschlicher Charaktere und gegen eine autonom in allen Details geplante und alle möglichen Faktoren berücksichtigende Handlung gefallen ist. Je kürzer die Erzählung, desto zahlreicher sind die Leerstellen, deren Ergänzung in das Belieben des Lesers gestellt ist und desto weniger kann die Selbstverwirklichung des Protagonisten narrativ umgesetzt werden.

Sacchetti, die »Cent Nouvelles nouvelles« und Des Périers haben alle drei allerdings noch einen großen Anteil an Beffe, die, wenn auch gegenüber Boccaccio verkürzt und dem Anekdotischen angenähert, diesen Anspruch auf Selbstbestimmung ihrer Helden bei aller Skepsis nicht ganz aufgeben. Bei den höfisch bestimmten »Cent Nouvelles nouvelles« zeigte sich jedoch, daß diese Selbstbestimmung im entscheidenden Augenblick effekthascherisch umgebogen wird zu einer unerwarteten Pointe. Nicht die Selbstbestimmung war am Hof Phillipps von Burgund gefragt, sondern ein geistvolles In-Szene-Setzen der eigenen Person, die vom mittelalterlich-feudalen Hofzeremoniell bestimmt wurde.

Die prägende Wirkung der innerliterarischen Novellentradition sollte möglichst weder übergangen noch auch überschätzt werden, angesichts der Tatsache, daß sich die Autoren mehrheitlich, trotz der ständigen Hinweise auf Boccaccio, weit von ihm entfernen. Sie wählen vielmehr die Form für ihre Novellen aus dem seit der Antike reichen Angebot, die ihrer Ideologie am ehesten entspricht, oder sie passen eine überlieferte Form innovatorisch ihren Bedürfnissen an.

Marguerite de Navarre

Spannungen zwischen einer durch die Tradition bereitgestellten Form und ihrer Verwirklichung unter veränderten ideologischen Bedingungen zeigen sich auch bei Marguerite de Navarre und führen, wie schon bei der Rahmenerzählung beobachtet, zu bezeichnenden Innovationen.

In der aus den »Cent Nouvelles nouvelles« (16) bekannten Novelle 6 zeigt sich die Unvereinbarkeit des Beffa-Typs mit der Ideologie Marguerites (M. Olsen, 1976, S. 152—182). Wenn die Novellen selbst — und nicht nur der den Fall diskutierende Rahmen — dazu dienen sollen, statt der natürlichen Selbstbestimmung des Menschen in der Liebe den Schutz der Ehe als Institution narrativ zu gestalten, so kann eine dieser Novellen nicht — wie es in den »Cent Nouvelles nouvelles« geschieht — damit enden, daß die beim Stelldichein vom Ehemann überraschte Frau diesem das eine gesunde Auge zuhält und so den Liebhaber entweichen läßt. Marguerite läßt den Ehemann die List ›durchschauen‹, und die Frau muß Abbitte leisten, sie wird bekehrt. Entgegen der Beffa-Tradition, die in der Pointe kulminierte, werden die ethischen Anforderungen narrativ verwirklicht, wenn auch damit der ›Witz‹ der Novelle zerstört wird.

Zwar gibt es zahlreiche traditionelle Beffe bei Marguerite (z. B. 14, 45, 46), doch eine andere Eigenart der Ideologie Marguerites zerstört die Struktur der Beffa noch nachhaltiger und führt sie in den Typ der Abenteuer-Novelle über. Die narrative Verwirklichung ethischer Anforderungen tendiert zur Histoire tragique, je weniger die realen Erfahrungen des Autors sich mit einer Beffa-Regie vereinbaren lassen. Die hohen Anforderungen ehelicher Treue oder des »parfaict amour«, nicht so sehr das unberechenbare Schicksal und die menschlichen Leidenschaften wie bei Bandello, sind es, die die Tragödie auslösen. In der 23. Novelle des »Heptaméron« zieht die Verweigerung der Frau, die sich einer sexuell motivierten Beffa eines Cordelier durch Selbstmord entzieht, nach allerlei Verwicklungen den Tod ihres Mannes nach sich, ohne daß schließlich der Schuldige bestraft würde.

Vor allem das Schwanken zwischen der Liebe zu Gott und der körperlichen Liebe (L. Febvre, 1944) führt zu einer Verlagerung der Konflikte in das Innere der Personen. Gott ist, wenn man so sagen kann, kein Partner in der Beffa, der Held bzw. die Heldin können ihn nicht mit einem Trick ausschalten. Der Gegenspieler des Novellenhelden ist übermächtig, nicht mehr gleichberechtigt wie im »Decameron«. Das führt zu einer Aufblähung der Novellen durch Monologe (R. Lebègue, 1961), die psychische Konflikte wiedergeben, und zu einer Verlängerung durch Häufung von vergeblichen Lösungsversuchen.

Das Gesagte gilt aber nicht nur für die Autorität Gottes, sondern auch für die weltliche, wie die Analyse M. Olsens (1976, S. 177 ff.) anhand der 21. Novelle zeigt: Die reiche adlige Rolandine und der von ihr geliebte arme Bastard aus gutem Haus ›können zueinander nicht kommen‹, trotz mehrfacher Ansätze, die in einer traditionellen Beffa zum Ziel und Abschluß geführt hätten: Vermittlung der Gouvernante, Vortäuschen von Krankheit, Treffen in der Kirche, heldenhafte Waffentaten des Bastards — aber alle Bemühungen führen nicht zum Ziel. Die Novelle konnte nur tragisch mit dem Heldentod des Mannes bzw. mit dem Liebestod der beiden Liebenden enden — oder mit einer Flucht in die Gottesliebe als Mönch und Nonne. Marguerite zieht es aber vor, der väterlichen Autorität, die sich der Liebe widersetzte, schließlich doch noch zum Sieg zu verhelfen: der Bastard wird untreu und stirbt zum Glück auch noch, so daß Rolandine besten Gewissens den vorgeschlagenen Mann heiraten kann.

Die Beffa ist durch eine Vermehrung der Szenen, die aber eher von der Heteronomie als der Autonomie des Helden Zeugnis geben, zur Abenteuer-Novelle geworden.

Matteo Bandello

Soll die These vom entscheidenden Einfluß der sozialen Umwelt des Autors auf die ästhetische Gestalt der Novelle stimmen, so dürften eigentlich auch Bandello und andere Novellenschriftsteller dieses Jahrhunderts in Italien keine Beffe mehr schreiben — zumindest aber müßten sie sie wie Marguerite, wenn auch vielleicht in anderer Form, verändern, da wesentliche Bedingungen für die Beffa im Stil Boccaccios inzwischen fehlen (G. Lebatteux, 1972).

Der Optimismus der wohlhabenden Bürger oberitalienischer Stadtstaaten in bezug auf die autonome Gestaltung ihres politischen Schicksals ist unter dem Eindruck der historischen Ereignisse geschwunden. Zur Zeit der Abfassung der »Novelle« befindet sich Bandello in abhängiger Stellung in oberitalienischen Adelshäusern, zuletzt der Fregoso, die ihrerseits abhängig sind von der Gunst der französischen Invasoren (A. Fiorato, 1973). Unglücklicherweise steht Bandello auch noch auf der Seite der Verlierer, so daß er schließlich zum Exil in Frankreich gezwungen ist. Zusammen mit den geistigen Umwälzungen, die schon bei der Analyse der Rahmenerzählung ausführlicher dargestellt wurden, sind solche Umstände der Gestaltung einer Beffa nicht günstig. Tatsächlich stellen Beffe und Motti zusammen in den ersten beiden Büchern, die ursprünglich als eine Art Centonovelle allein zur Veröffentlichung vorgesehen waren (A. Fiorato, 1972), nur noch rund ein Viertel der Novellen, während der Rest eher dem Typ der romanhaften und abenteuerlichen Histoires tragiques zuzurechnen ist. Die Beffa als Ausdruck des Selbstbewußtseins einer autonomen Gesellschaftsschicht steht also bei Bandello nicht mehr im Vordergrund. Wenn dieser Novellentyp, allerdings vielfach vermischt mit Motti, dennoch relativ zahlreich vertreten ist — vor allem im später hinzugekommenen dritten Teil (ca. 40 %) und erst recht in der posthumen Nachlese des vierten Teils (ca. 50 %) — so doch wohl in erster Linie als Reste literarischer Tradition und vielleicht als kompositorisches Gegengewicht gegenüber der Mehrzahl der tragischen Novellen. Die so weiterlebende

Beffa hat sich allerdings in Form und Inhalt den gewandelten historischen und gesellschaftlichen Bedingungen angepaßt.

So hat sich zum einen auf der Seite der expliziten Ideologie einiges geändert: in der Novellensammlung des Dominikaners Bandello machen sich vortridentinische Strömungen bemerkbar, die zu einer Moralisierung des Erzählten führen. Der Optimismus eines Boccaccio macht einen durch die Ereignisse der Zeit gerechtfertigten Pessimismus über den »guasto mondo« Platz, der sich nicht nur im Übergewicht der Histoires tragiques, sondern auch in der veränderten Personen- und Handlungsstruktur der Beffa äußert.

Die Beffa ist bei Bandello nicht mehr der Ausdruck der kommunalen Ordnung, sondern sie wird nach alten christlichen Maßstäben zum Ausdruck der Unordnung in der Welt, da sie Betrug und Narrheit der Menschen darstellt. Bandellos Einwand gegen Boccaccio, sein Calandrino sei doch etwas zu dumm und mache es seinen Gegnern zu leicht (»se eglino avessero avuto a far con persone svegliate ed avviste, non so come loro le beffe fossero riuscite« — »Wenn sie es mit aufgeweckten und geistesgegenwärtigen Personen zu tun gehabt hätten, weiß ich nicht, wie ihre Streiche geglückt wären.« Einleitung zu II, 10), wirft ein bezeichnendes Licht auf die gewandelten Wertvorstellungen. Boccaccio benötigte einen groben Normverstoß der einen Seite, um die Niederlage des einen Partners durch dessen Lächerlichkeit zu entschärfen. Bandello hingegen zeigt mit dem erhobenen Zeigefinger des Beichtvaters auf den asozialen Zug dieser Art von kommunaler Tugend, die die herkömmliche Moral durch diejenige des Geschäftslebens ersetzt. Denn sind beide Kontrahenten gleichberechtigt und etwa gleich klug, so bleibt der Beffatore mit seinem Inganno unentschuldigt, er wird zum bloßen Betrüger (I, 3, 6, 26 etc.), und die Sympathien neigen sich nicht selten dem Beffato zu (I, 6, 19, 25; II, 20, 29; III, 63 etc.). Gefangen zwischen der Novellentradition und seinen eigenen moralischen Ansprüchen bleibt Bandello trotz der kasuistischen Unterscheidung zwischen einem »onesto inganno« (I, 3, 5, 15, 35, 40 etc.) und der »mal pensata malizia« doch zutiefst verunsichert. Die strukturelle Folge davon ist die fast obligatorische Gegen-Beffa: die Beffa wird verdoppelt, nicht um den Schlauen nochmals zum Zuge kommen zu lassen, sondern im Gegenteil, um zu zeigen, daß auch der kluge Beffatore unterliegen kann. Bandello erklärt diese Technik in der Widmung zu III, 63 folgendermaßen:

»E non sofferendo la natura umana ch'l bene non sia di convene-
vol guiderdone rimunerato, vuole ancora ragionevolmente che gli in-
ganni e misfatti siano puniti, a ciò che, come dice il volgatissimo
proverbio, qual asino dà in parete, tal riceva.« – »Und da die
menschliche Natur es nicht zuläßt, daß das Gute nicht gebührend belohnt wird, will sie auch vernünftigerweise, daß Betrügereien und
Missetaten bestraft werden; folglich schallt es, wie das verbreitete
Sprichwort besagt, so aus dem Wald, wie man hineingerufen hat [wie
der Esel gegen die Wand schlägt, erhält er den Schlag wieder].«

Die Novelle nimmt keinen linearen, vorausgeplanten und auf
einen Gipfel zustrebenden Verlauf mehr, währenddessen der
Klügere eine Beffa unter Berücksichtigung aller ausgeführten
Umstände durchdacht bis zum Höhepunkt abrollen läßt, sondern die Novelle erlebt meist ein oder mehrere Revirements.
Ebensowenig wird die Realität vom Protagonisten beherrscht,
vielmehr werden die Personen vermehrt, die Episoden und Pe-
ripetien gehäuft und kompliziert, so daß schließlich in einer
einzigen Novelle oft mehrere Beffe stattfinden. Die Folge dieser unübersichtlichen Handlungsführung sind nicht selten blinde Motive.

Typisch für diese Spät- und Zerfallsform der Beffa ist die
sogenannte Auto-Beffa, die die Novelle schon in die Nähe der
Abenteur-Novelle rückt (A. Fiorato, 1972, S. 134—5). So in
der Novelle I, 15, in der zwei verfeindete Venezianer sich gegenseitig die Hörner aufzusetzen meinen, tatsächlich aber die
eigenen Frauen schwängern und sich dazuhin noch selbst durch
ihre gegenseitigen Beschuldigungen dem Gespött der Stadt aus-
setzen. Im Gegensatz zu einer traditionellen Beffa kompliziert
sich die Geschichte aber noch durch einen Unfall, der zuerst als
versuchter Totschlag ausgelegt wird, und durch falsche Ge-
ständnisse aller Beteiligten, die derart ihre Ehre zu retten wäh-
nen. Erst nach langem Hin und Her klärt sich alles zur allgemeinen Zufriedenheit auf.

Zufällige Ereignisse durchkreuzen die menschlichen Planungen, dem Beffatore wird die Initiative aus der Hand genommen: statt sich durch seine Klugheit aus zufälligen oder arran-
gierten Schwierigkeiten zu retten, fängt sich der Protagonist in
der Narrheit seiner eigenen Handlungen und Ungeschicklich-
keiten wie in einer Schlinge, er ist wie in der Abenteuer-Novelle den Launen des Schicksals und seinen eigenen Unzuläng-
lichkeiten hilflos ausgeliefert. Bandellos Helden können kein
Vertrauen mehr in die eigene Kraft haben, das Schicksal zu

meistern, sie verstehen ihre eigene Geschichte nicht mehr, geschweige denn daß sie sie kontrollieren.

Wie schon erwähnt, führte die ›Chiusura oligarchica‹, die erneute Verfestigung der sozialen Schranken im Italien des 16. Jh.s nach dem Verlust der kommunalen Autonomie, auch wieder zu einer Einschränkung der Beffa gegenüber Höhergestellten und rückte das Motto wieder in den Vordergrund. Allerdings war (A. Fiorato, 1972, S. 162) schon bei Boccaccio aufgrund seiner oligarchisch-aristokratischen Ideologie und auch späterhin dieser Typ der Beffa gegenüber Höhergestellten in Italien nie sehr verbreitet, während in den »Cent Nouvelles nouvelles« und in den »Nouvelles Récréations« des Bonaventure Des Périers wenigstens einige Beispiele begegnen. Die soziale Verhärtung scheint aber im Bewußtsein Bandellos bereits so weit fortgeschritten, daß er die Beffa gegenüber Mächtigeren lediglich in Verbindung mit einem Motto zuläßt und diese Art des Schwanks auch nur noch der Randgruppe der Narren zu übertragen wagt (G. Lebatteux, 1972, S. 193 f.). In diesem Zusammenhang bezeichnend ist die siebte Novelle des vierten Teils, in der Gonnella für eine durchaus gutgemeinte Beffa gegenüber dem Herzog — sie sollte diesen vom Quartfieber heilen — mit dem Leben bezahlt. Der Tod ist zwar vom Herzog nicht ernsthaft beabsichtigt (Gonnella stirbt vor Angst), nichtsdestotrotz muß man den tragischen Ausgang als narrative Verwirklichung einer Todesstrafe bewerten, die gleichzeitig den Herzog vom Vorwurf der Grausamkeit entlastet.

Antonfrancesco Grazzini gen. Il Lasca —
Giovan Battista Giraldi Cinthio

Die Alleinherrschaft der Medici über Florenz, die zentralistische und absolutistische Entwicklung des Staats unter Cosimo um die Mitte des 16. Jh.s wurde mit ihren Auswirkungen auf den Rahmen der »Cene« Grazzinis schon erwähnt. Stand bei Boccaccio der Beffatore als Repräsentant einer unternehmungslustigen Handelsbourgeoisie, die ihre persönlichen und politischen Angelegenheiten autonom verwaltete, im Vordergund der Beffa, so ist es bei Grazzini unter dem Eindruck verlorener republikanischer Freiheiten und der tyrannischen Herrschaft der Medici der Beffato. »Dans les ›Cene‹, elle [la beffa] devient le symbole d'une répression implacable.« M. Plaisance (1972) sieht in der Brutalisierung der Beffe, die mit übelster Behandlung (I,

3, 9; II, 8; III, 10), der Kastration (I, 2; II, 7) oder dem Wahnsinn (III: Bartolommeo) des Opfers enden, einen durch die politischen Verhältnisse bedingten masochistischen Zug.

Die Tendenz zur Abenteuer-Novelle zeigt sich unübersehbar etwa gerade in der eben genannten Novelle von Bartolommeo, in der die Verwicklungen derartig verzwickt sind und die unvorhergesehenen Wendungen dermaßen gehäuft auftreten, daß von einer vorausschauenden Initiative kaum mehr die Rede sein kann.

Die autoritäre Ideologie der Gegenreformation und der Refeudalisierung (G. Benzoni, 1973) ist es auch, die bei Giraldi (P. R. Horne, 1958) die Selbstbestimmung des Individuums, wie sie die Beffa kennzeichnet, weitgehend hinfällig macht. Statt brutaler Repression gesellschaftlich unerwünschten Verhaltens durch Bestrafung zieht er es vor, die Personen in abenteuerlichen Verwicklungen schließlich ihren Willen ›freiwillig‹ dem gesellschaftlich Anerkannten unterwerfen zu lassen bzw. Konflikte, wie später Cervantes, durch überraschende Statusänderungen (Entdeckung adliger Geburt, reichliche Erbschaften etc.) zu lösen: »un sujet narratif qui serait le véritable auteur d'un effet mettrait en question, par son action, meme fictive, le role de l'autorité.« »La confrontation entre objet et autorité est soigneusement évitée. Il s'en suit que le sujet narratif s'écroule, et, avec lui, le récit qui attribue une réalité référentielle à ses conflits.« (M. Olsen, 1976, S. 262/3).

Neben den zuletzt besprochenen Autoren, deren Innovationen eine Krise der Beffa anzeigten, gibt es in Italien, Frankreich und Spanien eine ganze Anzahl von Novellenschreibern, die sich von dieser Krise weitgehend unberührt zeigen. Allerdings handelt es sich hierbei vorwiegend um Kompilatoren, die aus bekannten Novellensammlungen oder sonstigen literarischen Vorlagen schöpfen. Das Verhältnis von fremdem Gut und Eigenleistung ist dabei sehr unterschiedlich.

Die reinen ›Buchbinder-Synthesen‹, geboren aus dem Bedürfnis, auf der Erfolgswelle der Novellen mitzuschwimmen, sind meist anonym erschienen: »Le Parangon des nouvelles« (1531; ed. E. Mabille, 1865); »Recueil des plaisantes et facétieuses nouvelles« (1555), »Les joyeuses adventures« (1555; J. Bolte, 1926), »Les joyeuses narrations« (1557). Mit ihrem Namen bzw. zusätzlich noch mit einer Rahmenerzählung versah F. Sansovino seine »Cento novelle« (1561) und C. Malespini seine »Duecento novelle« (1599; vgl. G. B. Marchesi, 1897). Dann gibt es Autoren, die wörtliche Übernahmen bzw. Übersetzungen mit selbstgestalteten Novellen mischen, wie der schon erwähnte Ser Giovanni Fiorentino, Nicolas de Troyes und auch Straparola im zweiten Teil seiner »Piacevoli notti«.

Mehr Eigengewicht haben die »Comptes du Monde Adventureux« des A.D.S.D. und das »Patrañuelo« des Juan Timoneda, die zwar auch fast ausschließlich literarische Quellen verwerten, sie jedoch wenigstens mit eigenen Worten nacherzählen. Der nicht mit Sicherheit identifizierbare Autor der »Comptes du Monde Adventureux« (1555; ed. F. Frank, 1878; F. Redenbacher, 1926, S. 45—55), A.D.S.D. (Antoine de Saint-Denis?) stützt sich in seinen 54 Novellen vorwiegend auf Masuccios »Novellino«, aber auch auf französische literarische Vorlagen (G. A. Pérouse, 1968), und beschränkt sich wie dieser auf einen Prolog sowie voraus- und nachgestellte moralische Kommentare zu den Novellen, die öfters von dem Unvermögen des Autors zeugen, traditionelle Stoffe und ihre narrative Gestaltung in Übereinstimmung mit seinem Wertsystem zu bringen.

Die Entstehung des »Patrañuelo« (1566; ed. F. Ruiz Morcuende, 1949) in Verbindung mit geschäftlichen Interessen ist offenbar bei einem Autor wie Juan Timoneda (Anfg. 16. Jahrh. —1583), der sich als Buchhändler mit Erfolg in den verschiedensten Genres versuchte, unter anderem auch in den schon erwähnten Beispiel-Novellen (s. o. S. 68). Die Bezeichnung »patrañas« für seine Erzählungen führt mit der heutigen Bedeutung ›Lügengeschichte‹ in die Irre, denn es handelt sich lediglich um bearbeitete, meist gekürzte italienische Novellen, unter die einige spanische Stoffe gemischt sind. G. Chappuys schließlich — die Reihe der wichtigeren Sammlungen sei damit abgeschlossen und auf die einschlägigen anfangs genannten Bibliographien verwiesen — stützt sich bei der Zusammenstellung seiner hundert Novellen in den »Facétieuses journées« auf seine reichen Erfahrungen als Übersetzer aus dem Italienischen und Spanischen.

Die Krise der Schwank-Novelle als Form wird also begleitet von ihrem epigonalen Weiterleben in ›sekundären‹ Sammlungen. Sie findet ihre Erklärung folglich nicht allein in einem Überdruß des Publikums an dieser Form und ihren Stoffen, denn die traditionellen Sammlungen wurden ja, wie oben geschildert, weiterhin verlegt und zu neuen Sammlungen zusammengestellt, sondern in den veränderten gesellschaftlichen Bedingungen der literarischen Produktion zur Zeit der Gegenreformation: »La ›beffa‹ est davantage victime d'une mutation de la société et de la morale que de l'impossibilité de se renouveler esthétiquement.« (G. Lebatteux, 1972, S. 181).

Mehrere Varianten der Beffa-Innovation in Richtung auf die Abenteuer-Novelle wurden bereits weiter oben behandelt. Eine besondere Erwähnung verdient der wohl einmalige Fall der anonymen »Novella del Grasso Legnaiuolo« (ed. A. Borlenghi, 1962), einer Einzelnovelle, die sich vom Beginn des 15. Jh.s an durch das ganze 16. einer großen Beliebtheit und vielfältiger Redaktionen und Umformungen erfreute (A. Rochon, 1975). Sie stellt ein Musterbeispiel für eine immer kompliziertere narrative Ausgestaltung und psychologische Verfeinerung dar, die wie die Abenteuer-Novelle sich zum Roman entwickelt.

4.3. Die Abenteuer-Novelle

Sieht man im Abenteuer nicht wie in der ›aventiure‹ der höfischen Epik das »Element des Bestimmten, Zugeteilten, das sich zur Vorsehung und Erwählung steigert« (E. Köhler, [2]1970, S. 88) und das die gestörte Ordnung wiederherzustellen hilft, sondern die Unterbrechung des Normalen, Berechenbaren, die absolute Unsicherheit und den Einbruch des Irrationalen in die Welt, so ist es strukturell der Beffa, bei der ein unvorhergesehenes Ereignis höchstens Anlaß und Handlungsanstoß bietet, diametral entgegengesetzt. Der Handlungsablauf im Abenteuer entzieht sich weitgehend der Initiative und aktiven Gestaltung durch ein autonomes Individuum, der Held plant sein Handeln nicht mehr, sondern er wird wie ein ruderloses Schiff vom tobenden Sturm umhergetrieben — ein Vergleich, der in vielen Schiffbruch-Novellen narrativ umgesetzt wird. Die Handlung konzentriert sich daher auch nicht mehr auf ein, zwei vorausgeplante Höhepunkte, auf die die ganze Novelle in Personen- und Handlungsstruktur ausgerichtet ist, sondern es reiht sich Abenteuer an Abenteuer, Episode an Episode, ohne daß deren Abfolge oder Anzahl durch mehr als die Identität des Protagonisten zusammengehalten würde.

Dieser Typ der Novelle setzt sich in verschiedenen Ausformungen im 16. Jh. in Italien, Frankreich und Spanien gegenüber den anderen derart vorherrschend durch, daß sich die Frage nach den historischen Bedingungen dieses ›Geschmackswandels‹ geradezu aufdrängt. Geht man vom strukturellen Gegensatz Beffa-Abenteuer aus, so müßten sich die entscheidenden gesellschaftlichen Voraussetzungen für das Entstehen der Beffa geändert, wenn nicht gar in ihr Gegenteil verkehrt haben. Nur für diesen Typ der Novelle kann gelten, daß er »im sozusagen ›überzeitlichen‹ Gattungssystem die Seite der absoluten Willkür des Zufalls« besetze (E. Köhler, 1973, S. 126), nicht aber für die Novelle schlechthin.

Die Situation Bandellos hat sich gegenüber derjenigen Boccaccios — um zwei typische Vertreter zu nennen — entschieden verändert. Nicht nur ihre persönliche Lage als Exponenten einer bestimmten sozialen Schicht unterscheidet sich, sondern auch die historische Gesamtentwicklung ganz Europas erlebte einschneidende Umwälzungen. Die großen Entdeckungen auf dem Gebiet der Geographie, die Entdeckung Amerikas und des Seewegs nach Indien, verursachten eine bisher ungeahnte Erweiterung des menschlichen Handlungsspielraums und ›Erfahrungs‹-Horizontes und führten zusammen mit den Entdeckungen auf dem Gebiet der Technik (z. B. Buchdruck) und der Naturwissenschaften (Kopernikus) und nicht zuletzt den geistigen Umwälzungen durch die Reformation dazu, daß die überkommenen Wertvorstellungen von Grund auf in Frage gestellt wurden. Darüber hinaus veränderte sich gleichzeitig das ökonomische (z. B. die Machtkonzentration in den Händen der Medici oder der Fugger; die Edelmetallschwemme aus dem spanischen Amerika in der zweiten Hälfte des Jahrhunderts) und das politisch-soziale Gefüge: das politische Geschehen und die politische Initiative gehen von kleineren Einheiten auf größere über. In Italien setzen sich statt der vielen kleinen und kleinsten kommunalen Einheiten nach den Eroberungskriegen der 15. Jh.s ganze fünf Zentren durch (Mailand, Venedig, Florenz, der Kirchenstaat und Neapel); Frankreichs Zentralgewalt dehnt sich nach dem Hundertjährigen Krieg aus und festigt sich allmählich zum frühabsolutistischen Flächenstaat auf Kosten der Autonomie des Adels; Kastilien und Aragon setzen den Einigungsprozeß in Spanien fort, bis schließlich unter Karl V. das legendäre Reich, in dem die Sonne nie untergeht, entsteht. Hand in Hand mit der Vergrößerung der Fläche geht die Zentralisierung und die Konzentration der Macht in den Händen weniger. Die Refeudalisierung äußert sich in einer Abkapselung der herrschenden Oligarchie, zu der durchaus auch inzwischen geadelte Großbourgeois gehören (vgl. die Ämterkäuflichkeit in Frankreich), gegenüber den kleineren Händlern, Gewerbetreibenden, Handwerkern und Bauern. So lösen in Italien

101

die Signorien und später ausländische Mächte die Kommunen ab, in Frankreich und Spanien zwingt der König die widerstrebenden Territorialherren unter sein Szepter.

Konnten Autoren wie Boccaccio oder Sercambi als politisch mündige Angehörige einer Kommune faktisch das politische Leben einer Stadt und damit ihres Staates mitbestimmen, so waren ihre Nachfolger inzwischen politisch entmachtet und übten als humanistische Intellektuelle Ausführungs- und Dekorationsfunktionen aus. Das Sich-Abschließen der regierenden Schicht und die ökonomische und politische Machtkonzentration führte zu einer Verschärfung der sozialen Gegensätze. Die Mittlerrolle der Humanisten zwischen Volk und Regierenden, wie sie noch von Dante und Boccaccio wahrgenommen werden konnte, wird bei wachsendem sozialen Zwiespalt immer schwieriger zu erfüllen. Der Rückzug auf ihre eigene Schicht intellektueller Zirkel und ihre Höfisierung zeigt sich zum Beispiel im Kampf um Volgare und Latein. A. Gramsci (1949, p. 38) sieht den Humanismus »in connessione con i fatti economici e politici che si svolgevano in Italia contemporaneamente: passaggio ai principati e alle signorie, perdita dell'iniziativa borghese e trasformazione dei borghesi in proprietari terrieri.« (»In Zusammenhang mit den ökonomischen und politischen Gegebenheiten, die sich gleichzeitig in Italien entwickelten: Übergang zum Prinzipat und zur Signorie, Verlust der bürgerlichen Initiative und Verwandlung der Bürger in Grundbesitzer.«)

Für Italien und Frankreich ist das 16. Jh. nicht nur das Jahrhundert der Refeudalisierung und der religiösen Repression, sondern auch ein Jahrhundert besonders grausamer Kriege. Die Fortschritte in der Waffentechnik, die Vergrößerung der Staaten und damit der zur Verfügung stehenden Ressourcen, führten zu Eroberungskriegen von seither ungekannter Heftigkeit und Kürze (C. Vivanti, 1974, S. 349).

Italien hatte seit dem Frieden von Lodi (1454) auf der Grundlage des politischen Gleichgewichts der fünf politischen Herrschaftsbereiche eine relative Ruhe gekannt, die allerdings jäh unterbrochen wurde, als Frankreich seine Hand nach Neapel und Mailand (1494) ausstreckte und auf den erbitterten Widerstand der Habsburger stieß. Dieses bis zum Frieden von Cateau-Cambrésis (1559) dauernde Ringen wurde vornehmlich in Oberitalien ausgetragen, aber auch im Königreich Neapel und selbst in Rom (Sacco di Roma 1527). Die früher autonomen und selbstherrlichen italienischen Stadtstaaten waren mitsamt ihren Herren (etwa den Sforza in Mailand) auf Gedeih und Verderb den ausländischen Invasoren ausgeliefert.

In der zweiten Hälfte des Jahrhunderts, als in Italien der Streit schon zu Gunsten der Habsburger entschieden war, flammten in Frankreich, das unter den Kriegen mit Habsburg schon genug gelitten hatte, die Religionskriege auf, die an Grausamkeit den italienischen »orrende guerre« in nichts nachstanden und dort neben der allgemeinen geistigen Verunsicherung noch gesteigert das Gefühl für die persönliche Machtlosigkeit und für das Ausgeliefert-Sein an unkontrollierbare (politische) Mächte empfindlich schärften.

So fand die in Italien auf der Grundlage der Erfahrungen in der ersten Jahrhunderthälfte in den Vordergrund gerückte Abenteuer-Novelle um die Mitte des Jahrhunderts in Frankreich eine ihrer Übersetzung und Adaption überaus günstige Situation vor, während dort zu Beginn des Jahrhunderts noch eher die traditionelle Novellistik der Beffe und Motti vorherrschte (Philippe de Vigneulles, Nicolas de Troyes).

In Spanien tritt die schon in Italien und Frankreich beobachtete Verlagerung auf die Abenteuer-Novelle nochmals um eine Generation später ein und zwar nach einer Phase der Rezeption italienischer Novellen (M. Menéndez y Pelayo, 1905 ff.). Die wichtigste Rolle spielten hierbei die »Histoires tragiques«, eine französische Bearbeitung von Bandellos »Novelle« durch Boaistuau und Belleforest (s. u. S. 111), die einseitig die tragischen Novellen bevorzugte. Diese Bearbeitung lag der spanischen Übersetzung von 1589 zugrunde.

Der wirtschaftliche und politische Niedergang des spanischen Weltreichs, der sich in der Rückständigkeit der spanischen Wirtschaftsordnung und in außenpolitischen Niederlagen wie dem Untergang der Invincible Armada und den niederländischen Befreiungskriegen manifestiert, bildet schließlich den Hintergrund für die »exemplarischen Novellen« des Cervantes.

Überblickt man diese Entwicklung, so zeigt sich, daß der Typ der Abenteuer-Novelle um so eher vorherrscht, je weniger ein Schriftsteller in seiner konkreten historischen Situation davon ausgehen kann, daß er die Macht hat, sein Schicksal und das seines Gemeinwesens selbst mitzubestimmen, und zwar nicht nur aufgrund seiner persönlichen sozialen Stellung, sondern ebensogut aufgrund der allgemeinen historischen Bedingungen, denen er unterworfen ist. Als ein Beweis für den Vorrang der allgemeinen historischen gegenüber der individuellen

Situation eines Autors in bezug auf die außerliterarischen Voraussetzungen einer literarischen Innovation kann Marguerite de Navarre gelten, deren Beffe eine deutliche Tendenz zur Abenteuer-Novelle zeigen, obwohl ihre persönliche soziale Stellung unabhängig ist. Der literarische Einfluß Bandellos kann auch nicht bestimmend sein, da die themengleichen Novellen (Hept. 30-II, 35; Hept. 70-IV, 5) eher für eine umgekehrte Dependenz sprechen (J. Frappier, 1946).

Auf diesem Gebiet bestätigt sich auch die Beobachtung, daß die Novellen im Gegensatz zum Rahmen realitätsbezogener sind. Rahmen und Diskussion als explizite Ideologie auf der Ebene des Discours werden von der persönlichen Stellung des Autors nachhaltiger beeinflußt als die Realitätspartikel des Récit (die Novellen). Während Marguerites Rahmen eine politische Machtposition voraussetzt, äußert sich diese persönliche Position wesentlich schwächer in der Form der Novellen, die sich aufgrund ihres größeren Realitätsgehalts dem ›kollektiven Bewußtsein‹ weiter öffnen. Dieses Bewußtsein der Ohnmacht und des Ausgeliefertseins an ein blindes Schicksal tritt erwartungsgemäß bei solchen Schriftstellern am reinsten in Erscheinung, die weder durch eine außergewöhnliche soziale Stellung (Marguerite) noch durch eine feste Bindung an die literarische Tradition (Marguerite, Bandello) mitbedingt sind, sondern sich ganz dem ›herrschenden Geschmack‹ anpassen können, wie die Bearbeiter und Nachahmer Bandellos in Frankreich.

Der Zusammenhang zwischen dem ›Geschmack‹ und den historischen Verhältnissen in Frankreich ist dem Übersetzer Belleforest durchaus klar (»Histoires tragiques«, II, 1566, S. 6): »j'offre un Bandel continué en ses tragiques discours afin que je ne sorte de mes desseins chargez de larmes, à cause que le temps est plus remarqué de tristesse que d'aucune esperance de joye et contentement.«

Die Novellen-Schriftsteller, die im 16. Jh. schon in einer festgefügten literarischen Novellentradition stehen, haben mehrere Möglichkeiten verwirklicht, in der ästhetischen Gestaltung ihrer Geschichten auf den Verlust der Selbstbestimmung und die entmutigenden Erfahrungen in der geschichtlichten Wirklichkeit zu reagieren. Zwei davon wurden schon beschrieben: einmal die Reduktion der Novelle zum Handlungsskelett innerhalb eines essayistischen Rahmens, das sich nur noch als Beispiel für die Unordnung der Welt eignet; zum anderen die quantitativen Verschiebungen zwischen Beffe und Motti und die Innovation der Beffa, die vornehmlich darin bestand, den Ablauf der Handlung nicht mehr konsequent der menschlichen Intelligenz und Eigeninitiative zu unterwerfen, sondern sie durch Häufung der Personen und Situationen zu komplizieren und zu verwirren. Der Beffato gerät unter den Einfluß eines übelwollenden Zufalls oder wird zum Opfer seiner eigenen Fehler (Auto-Beffa); der Beffatore tritt in den Hintergrund und läßt den Beffato in das Zentrum des Interesses rücken. Die Beffa tendiert auf diese Weise in die Richtung der Abenteuer-Novelle, die Zufall an Zufall reiht, Schiffbruch an Schiffbruch, mehrfachen Verlust an mehrfaches Wiederfinden (z. B. »Decameron« II, 6, 7; V, 1). Doch auch der Typ der Abenteuer-Novelle erfährt je nach dem historischen und ideologischen Standort und den persönlichen Erfahrungen und Fähigkeiten der Autoren verschiedene ästhetische Modifikationen:

— Die Handlung treibt, von einem äußerlichen Zufall angestoßen, wie ein steuerloses Schiff von Station zu Station dem rettenden Hafen oder dem sicheren Untergang entgegen. Das vernünftige Eingreifen des Helden kann — wie z. B. bei Boccaccio — dabei durchaus noch mitspielen, doch ist der Erfolg im Gegensatz zur Beffa nicht mehr sicher vorauszuplanen: *Abenteuer-Novelle* (im engeren Sinn).

— Die zerstörerischen Anstöße des Zufalls kommen nicht nur von außen, sondern werden noch verstärkt durch maßlose menschliche Leidenschaften, die eine vernünftige und geplante Reaktion von vornherein unmöglich machen, den Helden in innere und äußere Konflikte verwickeln und die Handlung zu einem tragischen Ausgang zwingen (Bandello etc.): *Histoire tragique*

— Der Autor nimmt Zuflucht zu dem bewährten Muster des Märchens und vertraut die Lenkung der Geschehnisse einer übernatürlichen Macht an, die den Gesetzen einer »naiven Moral« (A. Jolles, 1930) folgt (Straparola, Basile): *Märchen-Novelle*.

— Der Autor nimmt entschlossen die Fäden der literarischen Fiktion in die Hand und betätigt sich selbst, ohne den Leser darüber im Unklaren zu lassen und ohne auf die Authentizität seiner Erzählungen zu pochen, als ordnende Macht, die die Wechselfälle des Schicksals selbstherrlich arrangiert und kommentiert (Cervantes): *Roman-Novelle*.

4.3.1. Abenteuer-Novelle im engeren Sinn — Histoires tragiques

Einer der Gründe, warum dem »Decameron« im Gegensatz zu anderen Werken durch die Jahrhunderte hindurch ein fast ununterbrochener Erfolg in der Gunst der Leser beschieden war, liegt in seiner Vielfalt, die verschiedenen Zeiten und verschiedenen Ideologien die Möglichkeit bot, sich in ihm wiederzufinden. Die schreckliche Pest und die strahlend harmonische Welt des aristokratisch-bürgerlichen Rahmens umfaßt eben nicht nur *eine* Art von Geschichten, die einer ein-fältigen Ideologie entsprächen, sondern Boccaccio huldigt adligen und bürgerlichen Idealen, er traut dem Menschen die Selbstbestimmung zu, sieht aber durchaus auch die Fälle der Fremdbestimmung und verwirklicht so gleichzeitig mehrere Möglichkeiten der ästhetischen Form der Novelle. Neben beispielhaften Novellen stehen Beffe, neben Motti Abenteuer-Novellen.

Fortuna fungiert bei Boccacio (V. Cioffari, 1940; H.-J. Neuschäfer, 1969, Kap. IV) eben nicht immer als Vollstreckungsgehilfin der menschlichen Intelligenz und Initiative, wie in den Beffe und Motti, sondern sie kann sich der menschlichen Einflußnahme auch entziehen und den Menschen seine zeitweilige Machtlosigkeit spüren lassen, ohne sich übrigens deshalb in die göttliche Vorsehung zurückzuverwandeln. So bildet die Unbeständigkeit Fortunas in den Novellen des zweiten Tages (II, 6, 7) aber auch später (z. B. V, 1; X, 9) eine Art Kontrapunkt zum Menschenbild der Beffa, die Erfolg oder Mißerfolg auf die Fähigkeiten der handelnden Individuen zurückführt. Diese Einstellung zur Fortuna entspricht derjenigen von Boccaccios sozialer Bezugsgruppe, dem selbstbewußten Florentiner Kaufmann, der sich bei allem Selbstbewußtsein in der Konfrontation mit der Realität wohl oft genug eingestehen mußte, daß nicht alles von seinem Planen abhängt. Sowohl in Liebesdingen als auch auf seinen Handelsfahrten zu Wasser und zu Land gab es für ihn genügend Gelegenheit Wechselfälle des Schicksals zu beobachten, gegenüber denen aller menschlicher Witz machtlos bleiben mußte.

Boccaccio unterschlägt nun nicht etwa um der Stimmigkeit einer harmonischen Ideologie willen diesen Bereich der Realität, sondern er läßt die Helden seiner Abenteuer-Novellen anders als diejenigen der Beffe und Motti in Situationen geraten, die sich der Kontrolle ihres »provvedimento« und der Meisterung durch ihre Intelligenz versagen. Cimone (V, 1) etwa erlebt seine Verwandlung nach der Begegnung mit Efigenia völlig passiv, ›es kommt über ihn‹, er spinnt keine komplizierten Ränke, um die Geliebte zu gewinnen, ja er scheint nicht einmal mit ihr Kontakt aufzunehmen, bevor er sie in einem Piratenakt an sich bringt. Mit dieser im Vergleich zu den sonst so gewitzten und klug eingefädelten Intrigen grobschlächtigen Aktion ist es mit der Initiative Cimones auch schon aus. Er wird nach dem Sturm widerstandslos gefangengenommen und kommt aus dem Kerker auch nicht aufgrund eigener Überlegungen und eigener Kraft wieder frei, sondern nur aufgrund zufälliger Hilfe von außen. Kurz, ein ›Held‹, der sich deutlich von den sonst so tüchtigen Kaufmannssöhnen Boccaccios unterscheidet.

Doch selbst wenn diese Abenteuer-Helden versuchen, wie in der Beffa ihr Schicksal selbst in die Hand zu nehmen (Landolfo Rufolo, II, 4), so werden ihre Pläne systematisch durchkreuzt und das gute oder böse Ende tritt ohne ihr Zutun ein. Folgerichtig geht mit dieser Verlagerung der Handlungsinitiative aus dem Helden auf andere Personen bzw. vorzüglich auf das ›blinde‹ Schicksal eine Verarmung der Charaktere einher. Die sonst für Boccaccios Novellen typische Mehrpoligkeit der Charaktere weicht einem dem Märchen verwandten abstrakten schwarz-weiß Dualismus (extrem arm/extrem reich; böse/gut etc.). Ebenso märchenhaft und daher typisch für die Fremdbestimmung des Menschen sind die glücklichen Novellen-Schlüsse, die die Rettung durch eine unerwartete Identifikation als Kinder adliger Eltern (V, 6: Gian di Procida; V, 7: Teodoro und Violante) herbeiführen oder durch eine ebenso unerwartete Wiederbegegnung (II, 6: Madonna Beritola). Im Gegensatz zum Märchen werden die ›Guten‹ aber nicht selbstverständlich belohnt, der Zufall steht nicht im Dienste einer ›naiven Moral‹ (A. Jolles, 1930) noch waltet er einseitig als belohnender oder strafender Zufall (M. Olsen, 1976, S. 39 ff.) im Dienste einer bestimmten Ideologie wie etwa bei Masuccio, Giraldi oder Cervantes. Die glücklichen Zufälle ohne jede Absicht des Begünstigten (Rinaldo d'Esti in II, 2) oder im Interesse der Beffatori überwiegen zwar, doch kann das Schicksal auch Unschuldige treffen, denen die Sympathie des Autors gehört, wie etwa Simona und Pasquino (IV, 7).

Die grundsätzliche Überlegenheit des selbstbewußten Bürgers Boccaccio gegenüber einem blinden Schicksal zeigt sich vor allem darin, daß er das Abenteuerschema des Alexandrinischen Romans parodieren kann. Alatiel (»Decamerone« II, 7; C. Segre, 1974) wird eben nicht nur wie eine Sache von Strand zu

Strand, von Bett zu Bett gespült um schließlich wie die meisten ihrer Liebhaber ein tragisches Schicksal zu erleiden, sondern ihr stummes Einverständnis und das happy end lassen sie als Begünstigte, wenn auch nicht als Siegerin über ihr Schicksal dastehen, dessen Widrigkeiten sie, zunächst durchaus passiv, die angenehmsten Seiten abgewonnen hat. »Menschlicher Verstand und Wille wirken zwar auf die Aktivität Fortunas ein, doch gelangen sie nicht zur Beherrschung der Wechselfälle des Lebens.« (V. Cioffari, 1940, zitiert nach P. Brockmeier, Hg. 1974, S. 233).

Für Boccaccio war dieser Einbruch des Irrationalen in die Autonomie des aktiv Handelnden nur als von außen auf den Menschen einstürzender Zufall denkbar, vornehmlich als Schiffbruch oder Gefangennahme. Die tragisch oder auch glücklich endende Abenteuer-Novelle ist sozusagen nur die negative Variante, aber nicht der Gegensatz zur ›Unternehmernovelle‹, die den Helden aufgrund seiner Fähigkeiten und nicht aus Zufall zum Erfolg führt. Bei Boccaccio stellt Fortuna die Selbstbestimmung des Menschen über sein Schicksal nicht grundsätzlich, sondern nur momentan in Frage; zumal das Übergewicht der Beffe und Motti innerhalb der Sammlung bedeutend ist und durch die harmonische Rahmenfiktion als Werk selbstbewußter Florentiner Bürger noch unterstützt wird.

Giovanni Fiorentino

Die Tatsache, daß das »Pecorone« trotz der Kenntnis des »Decameron« bis auf ein paar Beffe zu Beginn ab dem 6. von 25 Tagen überwiegend (pseudo-)historische Berichte über tragische Zeitgeschehnisse aus der zeitgenössischen Chronik des G. Villani (ed. 1857) nacherzählt, die den Menschen dem blinden Schicksal und der Willkür der Mächtigen ausgesetzt zeigen, ist ein deutlicher Hinweis darauf, wie weit Ser Giovanni schon eine Generation nach Boccaccio von dessen Einschätzung des Kräfteverhältnisses zwischen Fortuna und menschlicher Selbstbestimmung entfernt ist. Bernabò Visconti zum Beispiel (VI, 2) einen Höfling wegen illegaler Besitzerweiterung lebendig begraben und dann einen Franziskaner grausam umbringen, der Bernabòs freche Antwort auf eine Bitte des Ordens mit einem treffenden Spruch quittiert. In einer Welt, in der sogar das Motto nicht mehr geduldet wird, bleibt zur Meisterung des Schicksals nur noch die übernatürliche Hilfe des Märchens (IX, 1; IX, 2; IV, 1; L. Russo, 1956; U. Klöne, 1961). Die einzige einigermaßen gesicherte biographische Notiz scheint die Resultate dieser Interpretation der verwendeten Novellenformen zu bestätigen: Ser Giovanni lebt 1378, dem Jahr des Ciompi-Aufstandes, fern von seiner Heimat Florenz seiner Bürgerrechte beraubt in der Verbannung.

Matteo Bandello

Schon anläßlich der Aufgabe der Rahmenfiktion wurde auf den Zusammenhang zwischen dem geistigen und politischen Klima Europas, dem allgemeinen Schicksal Italiens, dem persönlichen Bandellos und seiner Ideologie des »guasto mondo« hingewiesen (M. Santoro, 1967 a), die sich bei ihm — und noch ausschließlicher bei seinen Bearbeitern und Nachahmern — in einem Vordringen der Abenteuer-Novelle manifestiert.

Wie könnte denn ein Autor im Zeitalter härtester machiavellistischer Machtpolitik, deren Auswirkungen er unmittelbar am eigenen Leib spürte, die Fiktion einer harmonischen Gesellschaft, in der Art des »Decameron« aufrechterhalten? Dort wird der Einzelne und die von ihm gemeinsam mit seinen Mitbürgern zu schaffende und zu erhaltende soziale Ordnung in erster Linie von den berechenbaren Partikularinteressen konkurrierender Bürger bedroht und erst in zweiter Linie von der Natur, sei es in der Form der Pest oder der Fortunas, gegen die beharrlich anzukämpfen dazuhin in den meisten Fällen von Erfolg gekrönt ist. Die Bürger der selbständigen italienischen Stadtrepubliken bestimmten ungeachtet der unaufhörlichen Fraktionskämpfe sich selbst und waren noch nicht der Spielball fremder politischer Mächte wie zu Anfang des 16. Jh.s. Hier, im Werk Bandellos, jedoch ist das harmonische Bild der italienischen Renaissance zerstört. Die von Machiavell zur Staatstheorie erhobene doppelte Moral von Mächtigen und Machtlosen bestätigt sich im großen politischen Maßstab. Die Eroberungskriege der französischen Könige und des Kaisers führten dazu, daß Italien jahrzehntelang Schauplatz blutiger Machtkämpfe mit jähen politischen Umschwüngen und dramatischen Höhepunkten wie der Gefangennahme Franz I und dem Sacco di Roma war. Bandello war als persönlicher Gesandter Alessandro Bentivoglios, des Gatten der Ippolita Sforza, zuerst eng mit dem wechselvollen Schicksal der Sforza und der Stadt Mailand, dem am meisten umkämpften norditalienischen

Faustpfand, verbunden und teilte mit den Sforza das Exil im Mantua der Gonzaga. Undank der Sforza zwang ihn, 1525 Mailand endgültig zu verlassen und sich verschiedenen Fürsten, so Ranuccio Farnese und zuletzt Cesare Fregoso, dem Statthalter Venedigs in Verona und den Gonzagas über seine Frau verschwägert, anzudienen. Nach Fregosos Ermordung durch die Spanier fand er zusammen mit dessen Familie durch den französischen König gnädige Aufnahme im Exil in Agen.

Eine umfassende Synthese der ›Faits divers‹ ist in einer solchen Epoche einem Mann, der nicht zurückgezogen und weltfremd, sondern mitten auf der politischen Szene lebt und daher die tatsächliche Ohnmacht richtig einzuschätzen weiß, nicht mehr möglich; er kann höchstens versuchen, das Leben in seiner chaotischen Vielfalt möglichst getreu wiederzugeben. Der Mangel an autonomer politischer Betätigung und der langgeübte Gehorsam als Dominikanermönch und Höfling verdammen ihn zu einer obrigkeitshörigen, konservativen, orthodoxen und standesbewußten Haltung (A. Fiorato, 1973).

Die Aufgabe einer geschlossenen Rahmenfiktion, ihre Auflösung in isolierte, das Erzählen rechtfertigende Einleitungen einzelner Novellen sowie die Modifikationen der Beffa zeigten die Wirkungen der neuen historischen Bedingungen auf überkommene literarische Traditionen, die ursprünglich Ausdruck einer anderen Zeit und deren spezifischer politischer und sozialer Verhältnisse waren. Literarische Muster wie etwa die Beffa behaupten ihr zähes Leben, wenn auch modifiziert, selbst dann noch, wenn von den ursprünglichen außerliterarischen Bedingungen ihrer Entstehung nichts mehr vorhanden, ja selbst wenn sich entscheidende Faktoren inzwischen ins Gegenteil verkehrt haben. War die Selbstbestimmung des Individuums, wenigstens einer bestimmten sozialen Schicht, Voraussetzung für die Entstehung der Beffa, so verschwindet diese nicht automatisch mit dem Verlust der kommunalen Autonomie, vielmehr besteht sie weiter, wenn auch mit charakteristischen Veränderungen, durch die sie den geänderten Verhältnissen ihren Tribut zollt.

Diese veränderten historischen Bedingungen bieten andererseits die günstigsten Voraussetzungen für die Abenteuer-Novelle (M. Santoro, 1967 a). Wie diese Art von Novellen dem auf den historischen Verhältnissen basierenden sogenannten Publikumsgeschmack entgegenkamen und zwar nicht nur in Italien, sondern auch in Frankreich und Spanien, zeigt die Rezeptionsgeschichte.

Bandellos Novellen wurden in Italien ein solcher Erfolg, daß selbst der ›Ausschuß‹ der ersten drei Bände posthum noch als vierter veröffentlicht wurde (A. Fiorato, 1972, S. 123). Die Übersetzungen seiner Werke eroberten in kurzer Zeit als »Histoires tragiques« Frankreich (ab 1559) und Spanien (ab 1589).

Die adaptierenden Übersetzungen Belleforests sind insofern aufschlußreich, als sie bei der Auswahl aus Bandello die tragischen Abenteuernovellen gegenüber den ja durchaus noch vorhandenen Beffe und Motti bevorzugen und innerhalb der übernommenen Stücke das Original noch an grausigem Verismus und an Grellheit der Farben zu übertreffen suchen. Belleforest wirft den ›unzeitgemäßen‹, auf der Novellentradition beruhenden Ballast ab und verstärkt die der Rezeptionszeit entsprechenden Elemente (R. Pruvost, 1937).

Die Bibliographie dieser französischen Bandello-Bearbeitung ist höchst kompliziert. Nach D. Stone (1972) erschienen von 1559 – 1. Band der »Histoires tragiques« zuerst mit nur 6 Erzählungen in der Übersetzung von P. Boaistuau (M. Simonin, 1976), dann zusammen mit F. de Belleforest, der die Fortsetzung des Werks allein übernimmt, im gleichen Jahr noch zwei Ausgaben mit 12 bzw. 18 Erzählungen – bis 1616 nicht weniger als 56 verschiedene Ausgaben der insgesamt sieben Bände »Histoires tragiques« bei verschiedenen Verlegern mit verschiedenem Umfang. Eine Probe von vier Novellen erlebte eine moderne Ausgabe durch F. S. Hook (1948).

Doch nicht mehr nur äußerliche Ereignisse stören das selbstbewußte Auftreten des Individuums gegenüber der Realität, sondern die Gefahr kommt zur Zeit der Gegenreformation für den moralisierenden Theologen Bandello auch von innen. Das objektive Ausgeliefertsein an unkontrollierbare Mächte der Geschichte wird nach guter religiöser Tradition zusätzlich verinnerlicht und psychologisiert als Verderbtheit der ihren Leidenschaften hingegebenen Menschen, da man sich scheut, das Böse der Vorsehung zuzurechnen. Das Abenteuer wandelt sich von geographischen Irrfahrten zu psychischen und moralischen Verirrungen, so daß der tatsächliche Mangel an individueller Autonomie im Bewußtsein Bandellos als moralischer Mangel interpretiert und entsprechend dargestellt wird.

Was von Boccaccio als Befreiung empfunden wurde, nämlich das Abstreifen strenger und verknöcherter moralischer Normen zu Gunsten der eigenen Intelligenz und ungehemmter Wunscherfüllung, besonders auf den zwei wichtigsten Gebieten zwischenmenschlicher Beziehungen, dem Geschäft und der Liebe, wird von Bandello als Bedrohung der menschlichen Existenz dargestellt. Diese Umwertung von Liebe und Verstand in maßlose Leidenschaft und gegenseitigen Betrug stellt allerdings

111

auch — wie schon bei Boccaccio, nur mit veränderten Vorzeichen — eine ästhetisch vermittelte Projektion äußerer Lebensverhältnisse auf den moralischen Bereich und das Innenleben des Helden dar.

Die politische und ökonomische Emanzipation des reichen Florentiner Bürgers äußerte sich in den Novellen neben der direkten Darstellung vornehmlich vermittelt über die Verherrlichung des Liebesgenusses und des freien Gebrauchs der intellektuellen Fähigkeiten im Konkurrenzkampf der Beffe und Motti. Die neuerliche soziale und geistige Abhängigkeit der Schicht der Autoren im Zeitalter der Refeudalisierung und der Gegenreformation führt zu einer Verteufelung der gerufenen Geister im Sinne der katholischen Moral:

»Non fu mai dubbio [...] che tutti i disordini che al mondo avvengano [...] non nascano perciòche l'uomo si lascia vincere e soggiogare da le passioni e dagli appetiti disordinati. Onde da l'utile e piacere, che indi cavarne spera, accecato, gettatasi dopo le spalle la ragione, che di tutte l'azioni nostre deveria esser la regola, segue sfrenatamente il senso.« (II, 268) (»Es gab nie einen Zweifel daran, daß alle Unordnung auf dieser Welt daraus entsteht, daß der Mensch sich von den Leidenschaften und ungehemmten Begierden besiegen und unterjochen läßt. Verblendet von dem Gewinn und Genuß, den er daraus zu ziehen hofft, folgt er unter Mißachtung der Vernunft, die die Richtschnur allen unseren Tuns sein sollte, zügellos seinen Sinnen.«)

Die Liebe wird nicht mehr positiv als Erfüllung gesehen, sondern allenfalls als Stillung der »disordinati appetiti« und des »senso sfrenato«, sie gelangt auch nicht mehr durch den klugen Einsatz der intellektuellen Fähigkeiten zu ihrem verdienten Ziel, sondern sie stürzt sich in blinder Leidenschaft ins Abenteuer, wenn sie nicht gar, wie schon im »Heptaméron« zu brutaler Vergewaltigung degeneriert (I, 8). Eine notwendige strukturelle Folge dieser moralisierenden Ideologie ist die Ersetzung des bei Boccaccio und der gesamten Novellentradition vorherrschenden Happy-Ends durch ein möglichst tragisches Ende.

Der positive Gegenbegriff zu den Leidenschaften ist, neben der weniger aktiv als in erster Linie prohibitiv, als Zügel der Leidenschaften betrachteten »ragione«, die leere Hülle des »convenevole«, das mit seiner Norm, die keiner Rechtfertigung bedarf, im Gegensatz zur Autonomie Boccaccios steht. Der Held der Bandello-Novelle wird wie die Mitglieder dieser neuen, wieder durch Religion und Feudalhierarchie beherrschten Gesellschaft heteronom bestimmt: von den äußeren Anstandsregeln der »convenevolezza«, von den eigenen, der vernünftigen Lenkung entgleitenden Leidenschaften und von einem Schicksal, dessen Schläge oft jeder Rechtfertigung durch ein Wertsystem entbehren.

Doch Gottes Wege sind für einen treuen Diener der Kirche eben unerforschlich:

»Strani e spaventosi talora son pur troppo i fortunevol casi che tutto 'l dí veggiamo avvenire, e non sapendo trovar la cagione che accader gli faccia, restiamo pieni di meraviglia. Ma se noi crediamo, come siamo tenuti a credere, che d'arbore non caschi foglia senza il volere e permission di colui che di nulla il tutto creò, pensaremo che i giudicii di Dio sono abissi profondissimi e ci sforzaremo quanto l' umana fragilitá ci permette a schifar i perigli, pregando la pietá superna che da lor ci guardi.« (ed. F. Flora, 1966, I, 150) (»Seltsam und schreckenerregend sind bisweilen leider die Unglücksfälle, die wir täglich miterleben, und da wir keine Ursache für die Ereignisse finden, bleibt uns nur übrig, uns darüber zu wundern. Wenn wir aber, wie es sich für uns geziemt, glauben, daß kein Blatt vom Baume fällt ohne das Wollen und die Erlaubnis dessen, der alles aus dem Nichts schuf, so werden wir Gottes Entscheidungen für unergründlich halten und uns, soweit es die menschliche Gebrechlichkeit zuläßt, anstrengen, die Gefahren zu fliehen, indem wir die göttliche Barmherzigkeit darum bitten, daß sie uns vor ihnen bewahre.«)

Zum Beweis folgt eine Novelle (I, 14), in der der Held, trotz seiner vorbildlichen ›Resozialisierung‹ — durch Liebe vom Spieler zum tüchtigen Kaufmann — und trotz seiner Zurückhaltung bis zur offiziellen Eheschließung, auf dem Brautbett samt Frau vom Blitz erschlagen wird. Wenn Gottes Ratschlüsse bei Bandello unergründlich bleiben, so stehen sie jedenfalls nicht mehr wie noch bei Masuccio ganz offensichtlich im Dienste einer irdischen, narrativ durch den Zufall verbramten Sozialordnung (M. Olsen, 1976, 216—224).

Das zeigt sich in der Veränderung der sozialen Konstellation der Novelle von Romeo und Julia (II, 9) gegenüber der Fassung bei Masuccio (33), die Bandello allerdings nach Luigi da Porto (L. Di Francia, 1925, S. 44 ff.) erzählt. Gleichfalls im Rang an die Geliebte angeglichen wird der Liebhaber gegenüber »Heptaméron« 70 in der Novelle IV, 5 (J. Frappier, 1946). Die soziale Differenz zwischen den Liebenden, die das böse Ende im Sinne einer geltenden Standesordnung hätte rechtfertigen können, wird von Bandello beseitigt, es bleibt nur der nicht einmal als Strafe zu begreifende, unergründliche Zufall, der den Menschen auf die Gnade Gottes und die Gnadenmittel der Kirche verweist.

Die strukturellen Folgen des Verlustes der Autonomie wurden schon bei der Analyse der charakteristischen Veränderungen der Beffa angeschnitten. Jedoch nicht nur die Beffa wird durch Episodenhäufung gedehnt, sondern auch die ohnehin schon mehrgliedrige abenteuerliche Novelle. Denn mit dem Verlust der Selbstbestimmung des Individuums fällt auch das streng zielgerichtete Handeln des Novellenhelden weg. Die Handlungsführung wird zerfahren, schweift ab, die Charaktere sind irrational (S. Battaglia, 1968) und unberechenbar, da von außen bestimmt. War die Novellenexposition bei Boccaccio dazu da, die Ausgangslage knapp und nur mit den für die folgende Geschichte wesentlichen Elementen zu umreißen, so ufert sie bei Bandello und seinen Imitatoren zu selbständigen Erzählteilen aus, die den Zusammenhang der Geschichte eher hindern als fördern (z. B. in II, 9 die breite Ausmalung Romeos erster, unerwiderter Liebe). Selbst die zentrale Handlung wird immer wieder durch meist kulturhistorische Exkurse unterbrochen; in IV, 27 über die Zerstreuungen heiratsfähiger Mädchen in Antwerpen oder in III, 2 den Wissenschaftsbetrieb in Bologna.

Bandellos genaue Beobachtungsgabe hält sich, gleichsam mit einem starken Vergrößerungsglas bewaffnet, bei den Einzelerscheinungen des täglichen Lebens auf, die insgesamt aber nur die chaotische Vielfalt des Lebens wiedergeben und dieses Chaos nicht mehr von einem Helden überlegen beherrscht und in seine Planungen einbezogen zeigen. Übertriebene Genauigkeit im Detail, die bis zur Pedanterie gehen kann und die Bandello den Ruf eines Veristen eingebracht hat, tritt an die Stelle der verlorenen Harmonie (T. G. Griffith, 1955; F. Schalk, 1973).

Diese isolierte Detailbeschreibung bezieht sich nicht nur auf die äußeren Erscheinungen der Realität, sondern ebenso auf psychische Phänomene (G. Petrocchi, 1949). Jedoch kann es sich bei seinem Menschenbild kaum um eine Erklärung der Handlungsmotivation handeln, da die Initiative ja gar nicht mehr bei einem rational handelnden Subjekt liegt, sondern es werden vielmehr vorwiegend isolierte psychische Reaktionen auf Geschehnisse dargestellt, die beispielsweise die Form von seitenlangen Monologen annehmen. Die rationale Inkongruenz der Charaktere führt nicht zu einer verfeinerten Darstellung psychischer Vielschichtigkeit, sondern nur zur Wiedergabe gehäufter und punktueller theatralischer Reaktionen. Maßlose Leidenschaft äußert sich daher in einer Addition von äußerlichen Phänomenen statt in einer vertieften psychologischen Motivierung. In der 52. Novelle des dritten Tages zum Beispiel genügt es Pandora nicht, die Frucht ihres ungetreuen Liebhabers abzutreiben, sie zerschmettert und zerreißt den Embryo noch zusätzlich, ißt sein Herz und verfüttert schließlich noch Stückchen für Stückchen ihrem Hund. Das gleiche Stilprinzip der häufenden Addition zeigt sich auch in der Mikrostruktur der Sätze: »Io mi sento per pietá di cosí orrendo caso, di tanta inaudita crudeltá, di non mai piú pensata sceleraggine, di cosí mostruosa vendetta venir meno [...].« (ed. F. Flora, 1966, II, p. 515). (»Ich fühlte, wie mir aus Mitleid die Sinne schwanden angesichts eines so schrecklichen Falls, so unerhörter Grausamkeit, unvorstellbarer Ruchlosigkeit, so ungeheuerlicher Rachsucht.«)

Die veränderten historischen Bedingungen führen sowohl zu einer Aufsplitterung der Handlung in nur locker verbundene Realitätspartikel, als auch zu einem eigenartigen Schwanken zwischen Komik und Tragik. Ein Handlungselement, das von einem Helden, der sein Schicksal vermöge seines Intellektes und seiner Umsicht fest in der Hand hält, als Trick mit komischer Wirkung in die Gesamthandlung eingeplant werden kann, entgleitet einem heteronom bestimmten, irrational handelnden, von fixen Ideen und maßlosen Leidenschaften besessenen Helden und schlägt unvermutet ins Tragische um (M. Santoro, 1967 b). Statt zur Beffa entwickelt sich die Handlung zum tragischen Abenteuer, wie in II, 40, wo sich Delio bezeichnenderweise an einem der tragischsten Punkte das Lachen verkneifen muß: das von Cinzia getrunkene vermeintliche Gift ist nur parfümiertes Brunnenwasser. Bis hierher handelt es sich um einen gut geplanten Trick, um die entzweiten Liebenden Camillo und Cinzia wieder zu vereinen. Doch tragischerweise zeigt es sich, daß sich die Initiatoren des Tricks auf ein Abenteuer eingelassen haben: Cinzia stirbt trotzdem, da ihre maßlose Einbildungskraft schafft, was das harmlose Wässerchen gar nicht schaffen konnte.

Histoires tragiques

Es wurde schon erwähnt, daß Bandellos Wirkung in Frankreich deshalb besonders groß war, weil die Wirren der Religionskriege einen geeigneten Rezeptionshintergrund für die im Gefolge der ›orrende guerre‹ in Italien entstandenen »Novelle« bildeten. Bandello wird in Frankreich aber nicht nur übersetzt, er wird auch imitiert (A.-M. Schmidt, 1967). Selbst wenn Autoren wie J. Yver, B. Poissenot und V. Habanc der Übersetzungswut aus dem Italienischen etwas authentisch Französisches entgegenzusetzen bestrebt sind, so reproduzieren sie doch, von der Rahmenfiktion abgesehen, charakteristische Abenteuer-Novellen, wie sie in Frankreich durch Belleforests Adaption (s. o.) verbreitet wurden.

Jacques Yver (ca. 1520—1571), der sich im Vorwort seines »Printemps« (1572) ausdrücklich an Bandello mißt, ist als Angehöriger einer noch nicht allzulange zur noblesse de robe zählenden Patrizierfamilie aus Niort (Poitou) und als Bürgermeister seiner Vaterstadt der Ideologie der Herrschenden besonders verbunden. Er hat als Magistrat die Möglichkeit, politische Macht auszuüben, gleichzeitig macht er aber in seinem Leben ähnlich deprimierende Erfahrungen wie Bandello: er ist Augenzeuge dreier Bürgerkriege und erlebt, wie seine Vaterstadt nacheinander mal von der einen, mal von der anderen Partei geplündert wird (H. Clouzot, 1931).

Ähnlich dem schon bei Marguerite beobachteten Vorgehen erlaubt ihm seine persönliche soziale Stellung zwar die Gestaltung eines harmonisierenden Rahmens, für den das Ende des dritten Religionskrieges (1570) die historische Kulisse abgibt. Doch ist die Harmonie dadurch ins Märchenhafte entrückt, daß Yver als Szenerie Lusignan, das Schloß der Fee Melusine, wählt. Im Gegensatz zur Harmonie, die in Boccaccios Rahmen herrscht, handelt es sich nicht um einen zwar fiktionalen, aber doch als realisierbar gedachten Gegenentwurf zur Realität, sondern um eine von vorneherein im übernatürlich-imaginären Bereich des Märchens angesiedelten Fluchtversuch, der in krassem Widerspruch zu den erzählten Novellen selbst steht, die an Systematik des Unheils diejenigen des Vorbilds Bandellos womöglich noch übertreffen. Die Rahmen-Ideologie einer adligen, von Vergnügen, Tugend, Schönheit, Liebe und Frieden gekennzeichneten Welt wird durch die Erzählungen in Frage gestellt, in denen eine übelwollende Fortuna Verbrechen, Neid, Haß, Betrug, Vergewaltigung, Mord und Selbstmord aneinanderreiht. Die viermal variierte schließliche Vereinigung der Liebenden im Grab bietet einen schwachen Trost, und die letzte der fünf an fünf aufeinanderfolgenden Tagen erzählten Novellen verbreitet mit ihren wiederholten Beffe und dem glücklichen Schluß auch nur einen blassen Schimmer des alten Novellenoptimismus.

Der Sammlung war ein großer Publikumserfolg beschieden, denn von 1572 bis 1618 erschienen nicht weniger als zwanzig Ausgaben. Die neueste Ausgabe in den ›Conteurs français du XVIe siècle‹ von Jourda (1965) ist leider willkürlich verstümmelt, so daß auf diejenige von P. Lacroix aus dem Jahre 1841 (repr. 1971) zurückgegriffen werden muß.

Ebenso willkürlich verfuhr P. Jourda mit dem »Esté« (1583) des B. Poissenot, von dem allerdings ebenso wie von den »Nouvelles tragiques« (1586) überhaupt keine vollständige neuere Ausgabe vorliegt.

Der »Esté« von Bénigne Poissenot (ca. 1558—?) gibt sich zwar schon im Titel als Fortsetzung von Yvers »Printemps« zu erkennen, doch kann man ihm Originalität nicht absprechen. Die Figuren des Rahmens, drei Jura-Studenten, unter ihnen der kaum versteckte Autor selbst, machen im Sommer 1580 auf ihrer Wanderschaft ein paar Tage gemeinsam Ferien in der Nähe von Narbonne. Poissenot notiert Ausflüge und Gespräche an drei Tagen, die in ihrer thematischen Buntheit an die essayistischen Autoren erinnern. Die Stoffe und die Form der Novellen sind nicht so einheitlich wie bei Yver, antike und pseudohistorische Erzählungen, Beffe und romanhafte Abenteuer-Novellen werden als ausführlich erzählte Beispiele in den essayistischen Rahmen eingeschoben. Man darf den Ausführungen des Autors, der es trotz seiner Studien nicht weit gebracht zu haben scheint (L. Loviot, 1914 b), wohl Glauben schenken, wenn er behauptet, das Buch in wenigen Wochen geschrieben und das Manuskript nur einmal durchgelesen zu haben, denn er bietet ein eigenartiges Konglomerat der damals gängigen Formen: er mischt die essayistische Form des Rahmens mit einer Reisefiktion konventioneller Herkunft und behält trotzdem narrativ ausgestaltete Novellen verschiedenster Form bei.

Die zehn Erzählungen seiner »Nouvelles Histoires tragiques« gehören mit ihren breit ausgeführten blutrünstigen Greueltaten ganz in die Tradition Bandellos. Wie real solche Geschichten einem Zeitgenossen der Religionskriege erscheinen, selbst wenn sie sich unter Artaxerxes abgespielt haben sollen (3. Novelle), zeigt die 6. Geschichte, die das Ende von Poissenots Lehrer Pelleteret durch mordende Hugenotten erzählt.

Poissenot wird an tragischen Verwicklungen allerdings noch von einem weiteren Nachahmer Bandellos übertroffen: Vérité Habanc, der unter seine acht »Nouvelles histoires tant tragiques que comiques« (1585) nur zwei Beffe mischt.

117

4.3.2. Märchen-Novelle

Die Verknüpfung von großen Leidenschaften, ritterlichen Abenteuern und märchenhaften Elementen, wie sie die eben erwähnten Autoren von tragischen Novellen, in besonderem Maße aber schon die »Comptes amoureux« (ca. 1532) der Jeanne Flore kennzeichnet, weist einerseits eindeutig auf die Wiederbelebung von mittelalterlichen Stoffen im Zeitalter der Refeudalisierung hin (wie sie sich auch an den zahlreichen Ausgaben verschiedener Prosaritterromane und -epen, besonders aber am Erfolg des »Amadis« ablesen läßt), andererseits zeugt sie mit ihrem Rückgriff auf märchenhafte Elemente von besonderen sozialen und politischen Konstellationen.

Es ist auffallend, daß das Märchen zu bestimmten Zeiten in der Literatur eine besondere Rolle spielt und zwar in den geschichtlichen Momenten, in denen die Schicht, für die Literatur vorwiegend produziert wird, sich im politischen Niedergang befindet oder sich bereits von der tatsächlichen Machtausübung ausgeschlossen sieht. So versucht Chrétien de Troyes der gesellschaftlich funktionslosen und politisch entmachteten Schicht des Kleinadels mit Hilfe der ›aventiure‹ wenigstens literarisch eine neue sittliche Legitimation zu verschaffen und mit Hilfe des Märchens den sicheren Sieg über widerstrebende Kräfte zu gewährleisten (E. Köhler, [2]1970). Die Ähnlichkeit mit der Situation des zur Dekoration degradierten Adels in der höfischen Gesellschaft des Absolutismus (N. Elias, 1969) drängt sich auf, der zu einer Flucht in eine wahre Märchenmanie im Anschluß an Perrault, Mme. d'Aulnoy und die Übersetzungen Gallands von »1001 Nacht« führte.

Folglich ist es sicher falsch, aus der Verwendung von Märchenstoffen generell auf eine besondere Nähe des Autors zum Volk schließen zu wollen. Das Märchen ist im 16. Jh. ein allen sozialen Schichten zugängliches literarisches Muster, das allerdings in seiner Verwendung an bestimmte, in seiner Struktur begründete Bedingungen geknüpft ist. (H. H. Wetzel, 1974). Die Frage, warum von zwei Autoren ähnlicher sozialer Herkunft wie Philippe de Vigneulles und Nicolas de Troyes der erste nur volkstümliche Schwankstoffe, der zweite aber nicht ganz eine Generation später auch Märchen für eine Aufnahme in seine Sammlung passend fand, läßt sich nicht mit dem ahistorischen Begriff ›volkstümlich‹ erklären, sondern nur nach einer Analyse der Funktion der typischen Märchenmerkmale in einer ganz bestimmten historischen und sozialen Situation.

Das Märchen unterscheidet sich in wesentlichen Punkten von der Novelle, besonders deutlich allerdings von der Beffa, als dem Typ der lange weitgehend mit der Novelle schlechthin gleichgesetzt wurde. Der Novellenheld ist fest in eine nur auf der freien Konkurrenz der Kräfte und Intelligenzen beruhende, örtlich und zeitlich bestimmte Gesellschaft integriert, er hat bestimmte charakterliche Eigenschaften, die sein Tun bestimmen und die sein autonomes, zielgerichtetes Handeln motivieren. Die Handlung beschränkt sich daher meist auf ein, zwei Höhepunkte, auf die die Erzählung von Anfang an streng ausgerichtet ist. Der Märchenheld ist ihm in all diesen Punkten gerade entgegengesetzt. Er bleibt weitgehend passiv und empfängt die Handlungsanstöße von außen. Er hat keinen besonderen Charakter oder andere als äußerliche Eigenschaften. Diese mangelnde Individualität zeigt sich auch in der Namensgebung, die die geläufigsten Namen bevorzugt bzw. sie in der Funktion (König, Müller etc.) oder der äußerlichen Erscheinung (Schneewittchen etc.) aufgehen läßt. Das Märchen zeigt eine statische Gesellschaftsordnung, die nur unten und oben, arm und reich, aber kaum Zwischenstufen kennt. Wenn der Bettlerjunge in einer abstrakten Umkehrung der Verhältnisse zum Prinzen wird, so geschieht das nicht aufgrund persönlicher Verdienste, sondern aufgrund einer willkürlichen, unberechenbaren heteronomen Entscheidung. In der Handlung oder besser: im Geschehen reiht sich Episode an Episode, die zum Teil austauschbar sind, da die Initiative von keinem als Charakter faßbaren Individuum ausgeht oder ein von einem Helden genau ausgeheckter Plan durchgeführt wird (der Held ist ein ›actant‹, kein ›personnage‹), sondern sich nur ein allgemeiner, allen Märchen gemeinsamer allgemeiner Sinn des Geschehens vollendet: die Wiederherstellung einer »naiven Moral« (A. Jolles, 1930). Eine abstrakte, nicht im ethischen Handeln von Individuen begründete Gerechtigkeit wird mit Hilfe des Übernatürlichen — das ja aus der Novelle mit ganz wenigen Ausnahmen vollkommen verbannt ist — entgegen aller Realitätserfahrung durchgesetzt.

Je größer der Unterschied des Märchens zur Beffa desto auffälliger und überraschender sind die Berührungspunkte mit der schon analysierten Abenteuer-Novelle in der Art Bandellos und die gemeinsamen Oppositionen gegenüber der Beffa. Die grundsätzliche Übereinstimmung zwischen Abenteuer-Novelle und Märchen besteht in der Heteronomie des Handelns, im Ausgeliefertsein des Helden an Kräfte, die sich seiner Kontrolle entziehen (E. Köhler, 1973, S. 28). Im Unterschied zum Märchen sind in der Abenteuer-Novelle diese Kräfte jedoch nicht mehr wunderbar, sondern in den Menschen selbst verlagert, oder sie werden einer blinden Fortuna zugesprochen, die allerdings oft derart gehäuft eingreift, daß es allen Gesetzen der Wahrscheinlichkeit widerspricht. Der Versuch, das Handeln des Helden trotzdem zu motivieren, führt in der Abenteuer-Novelle zu umständlichen psychologischen Exkursen, während das Märchen auf jegliche Psychologisierung verzichtet. Der Held ist gut, der Gegenspieler schlecht. Auch diese Neigung zu Extremen, besonders zu extremen Leidenschaften hat das Märchen mit der Abenteuer-Novelle gemeinsam. Doch ist etwa die Grausamkeit im Märchen nicht Selbstzweck, sondern funktional gebunden, nicht die genüßliche Schilderung des Leidens und der Schmerzen des Opfers steht wie in der Histoire tragique im Vordergrund, sondern die ›Mechanik‹ des Ablaufs: der Schmerz ist äußerlich, nicht innerlich. Mit dem zielstrebigen autonomen Helden, wird bei beiden Erzählformen auch eine zielstrebige, streng auf ein, zwei Gipfel ausgerichtete Handlung hinfällig, sie macht einem eher losen, episodenhaften Gefüge der Erzähleinheiten Platz.

Das Märchen ist, um es kurz zusammenzufassen, von den betrachteten Modifikationen der Kurzerzählung die Erzählform, deren Held am weitestgehenden heteronom bestimmt ist. Die Abenteuer-Novelle Boccaccios überläßt es dem Helden durchaus, auch seinerseits Initiativen zu ergreifen, wenn der Ausgang auch ungewiß bleibt; die Histoire tragique verurteilt die Initiativen des Helden von vornherein zum Scheitern; die Märchen-Novelle schließlich verzichtet selbst auf den Schein von Autonomie und verspricht eine glückliche Lösung der unheilen Wirklichkeit durch das Wunderbare. Sie hat mit der Histoire tragique die Befreiung von der persönlichen Verantwortung und moralischen Bindung gemeinsam, beharrt aber nicht in deren Fatalismus, sondern zeigt zumindest irreale Lösungsmöglichkeiten auf.

Warum Nicolas de Troyes (K. Kasprzyk, 1963) aus der volkstümlichen Überlieferung, aus der er ebensogut wie seine Zeitgenossen Philippe de Vigneulles (ed. C. Livingston, 1972) oder Bonaventure Des Périers schöpfte, Märchen nicht mehr ausschloß bzw. ob er sie gar bewußt in seine Sammlung mit aufnahm, kann aus Mangel an biographischen Informationen nur indirekt aus dem Vergleich mit der sozialen Stellung der anderen Autoren erschlossen werden.

Philippe de Vigneulles hatte es aus bescheidenen Handwerkeranfängen durch Fleiß und Tüchtigkeit in Metz zu Wohlstand gebracht, so daß er sich, wenn auch nicht zum eigentlichen Pariziat gehörend, doch als Aufsteiger mit der bürgerlichen Ideologie der freien Konkurrenz im Sinne der Schwank-Novelle identifizierte. Das Märchen mit seinen passiven Tendenzen und seinem Vertrauen auf übernatürliche Hilfe statt auf die eigene Tüchtigkeit und den eigenen Verstand entsprach nicht seiner Weltsicht.

Giovan Francesco Straparola — Giovanni Basile

Von Straparola dagegen wird das Märchen bewußt als literarisches Mittel eingesetzt. A. Jolles würde von einer ›Bezogenen Form‹ sprechen, d. h. Straparola erzählt nicht naiv volkstümlich, sondern er reagiert auf seine historische Situation dergestalt, daß er eine überkommene Form mit ihren strukturellen und stilistischen Eigenheiten adaptiert. Die oben herausgestellte Heteronomie des Märchengeschehens entsprach als ästhetisch vermittelte Form offensichtlich — der Erfolg der »Piacevoli Notti« zuerst in Italien und dann in ganz Europa bestätigt es — einer weitverbreiteten Erfahrung und nicht nur einer individuellen psychischen Disposition des Autors. Die schon anläßlich von Bandello geschilderten Zustände in Norditalien in der ersten Hälfte des Jahrhunderts betrafen auch Straparolas Venedig. Abgesehen von dem schweren Schlag, den Venedig durch die Niederlage gegen die Liga von Cambrai (1508) mit dem Verlust großer Terraferma-Gebiete erlitt, bedeutete das ständige kriegerische Hin und Her in Oberitalien für eine auf den Handel mit dem Hinterland angewiesene Handelsmetropole schwere finanzielle Einbußen, die die schon Ende des 15. Jh.s fortgeschrittene Verarmung von Teilen der venetianischen Aristokratie (J. Burckhardt, 1956, S. 34) nur noch verschlimmerte.

Die Erfahrungen der ›orrende guerre‹ bieten also auch für ihn den allgemeinen historischen Hintergrund als Bedingung seines literarischen Schaffens, und doch äußert er sich anders als Bandello. Straparola behält einen ganz konventionellen Rahmen mit einer seltsam unwirklichen Welt vornehmer Aristokraten und akademischer Berühmtheiten bei, doch in den Novellen selbst zeigt sich der langsame Auflösungsprozeß der herkömmlichen Form. Märchen werden nur oberflächlich mit historischen Zügen verbrämt (z. B. I, 4), aber umgekehrt auch Novellen nur mit Märchenanfängen und -schlüssen versehen (U. Klöne, 1961, S. 52—81). Zwar geben zwei Novellen die italienische Koine auf und sind in Dialekt abgefaßt (V, 3 bergamaskisch und V, 4 paduanisch), aber das Märchen beherrscht durchaus nicht die ganze Sammlung, sondern macht neben Beffe und Abenteuer-Novellen nur einen Teil der Sammlung aus. Doch selbst diese Märchen lösen sich nicht völlig von den strukturellen Merkmalen der Novelle, sondern sie bilden die eigenartige Mischform des Novellen-Märchens (G. Mazzacurati, 1969). Sie beginnen oft durchaus novellistisch (z. B. III, 4) mit einer festen Verankerung eines individuell gestalteten Helden in Raum, Zeit und Gesellschaft, um dann ziemlich unvermittelt und sprunghaft das Handeln heteronom und von außen steuern zu lassen. Das Band der Vernunft zwischen dem Helden und seinen Handlungen wird getrennt, die Märchenmechanik löst extrem leidenschaftliche, in der geschilderten Situation durch nichts gerechtfertigte Reaktionen aus. Die Lust am Schrecklichen und Mißgestalteten, die das Märchen in dieser Form nicht kennt, erinnert dagegen sehr an Bandello.

Der Vergleich dieser Strukturmerkmale mit dem seither Ausgeführten läßt den Schluß zu, daß Straparolas Ideologie sehr heterogene Elemente in sich vereinte: der konventionelle Rahmen verrät eine idealisierte Vorstellung von der Aristokratie und ihrer ordnungspolitischen Fähigkeiten, die wenigen Beffe, die den Sieg des Schwächeren über den Stärkeren feiern, Reste bürgerlichen Geistes (A. Motte, 1972), das massive Eindringen des Märchens schließlich, das Eingeständnis der eigenen Ohnmacht angesichts autoritärer Herrschaft und chaotischer politischer Verhältnisse (G. Bàrberi-Squarotti, 1965).

Bei allen Berührungspunkten mit Bandello, wie sie schon beim Strukturvergleich des Märchens mit der Abenteuer-Novelle aufgezählt wurden, bleibt aber doch der entscheidende Unterschied, daß Straparola einen Schimmer von Optimismus beibehält, der sich allerdings nicht auf die eigenen Kräfte des Menschen bei der Meisterung der Wirklichkeitsprobleme beruft, sondern auf fremde, übergeordnete Mächte.

Was in den »Piacevoli Notti« Straparolas aufgrund der Situation Venedigs um die Jahrhundertmitte sich ankündigte, vollendet sich dann achtzig Jahre später im spanischen Vizekönigtum Neapel. Bei Basile dringt das Märchen nicht mehr nur sporadisch in eine Novellensammlung ein, zum Teil noch in novellistischer. Verkleidung und in novellistischem Rahmen, sondern er formt sogar ursprüngliche Novellen zu Märchen (I, 4; III, 6; IV, 10; V, 6) und rahmt sie insgesamt mit einer ›Hals-Erzählung‹ in Form eines Märchens.

Basiles Welt ist durch und durch künstlich; das zeigt sich in der forciert neapolitanisierten Sprache (was die Aufgabe einer übergreifenden, linguistischen Ordnung bedeutet), die bewußt durchaus geläufige gemeinitalienische Elemente durch künstliche Dialektwörter ersetzt und eine volkstümliche Redewendung auf die andere häuft. Es zeigt sich weiterhin in der exzessiven Metaphorisierung, die von einer starken Verunsicherung gegenüber der Realität zeugt, und in vielerlei Art von sprachlichen Bravourstückchen, wie Zweideutigkeiten, Anspielungen, Wortspiele und rabelaisianische Aufzählungen. Doch selbst das Märchen ist Basile noch nicht märchenhaft genug, er vermehrt die plötzlichen Handlungsumschwünge, erweitert die Handlung durch Episoden aus anderen Märchen, häuft die Verwandlungen in Tiergestalten etc.

Basile spielt geistreich mit den Möglichkeiten des Märchens, der Anspruch der Literatur auf Wirklichkeitsbewältigung ist verloren. In Neapel, wo die chiusura oligarchica des 16. Jh.s in den überlebenden feudalaristokratischen Institutionen ein gut vorbereitetes Feld fand, wo die religiöse Repression der Gegenreformation nahtlos in die politische Repression überging, lag für Basile die Flucht in eine übertriebene und verzerrte Märchenwelt nahe.

4.3.3. Roman-Novelle

Cervantes

W. Krömer (1969) hat schon darauf hingewiesen, daß die Entwicklung der Novelle im 16. Jh., vor allem bei Marguerite de Navarre, Bandello und den »Histoires tragiques« romanhafte Züge aufweist. Den entscheidenden Schritt von der Novelle Marguerites und Bandellos, die beide ihre Abenteuer-Novellen noch in einen Rahmen einbetten und mit Schwank-Novellen mischen, sieht Krömer in den französischen Bandello-Bearbeitungen, die auf einen Rahmen verzichten, ausschließlich Abenteuer-Novellen wählen und innerhalb dieser Novellen das Interesse von der pointierten Handlungsführung zur romanhaften Breite verlagern (R. Sturel, 1913/14). Das sichtbarste Zeichen für die Nähe zum Roman ist die Einteilung der einzelnen Novellen in Kapitel, wie sie der spanische Übersetzer (1589) der französischen Bandello-Bearbeitung vornimmt. Diese literarische Novellentradition der zum Roman tendierenden Abenteuer- und Märchen-Novellen, verstärkt durch die Tradition der Schäfer-, Abenteuer- und Ritterromane (A. G. Amezúa y Mayo, 1956; W. Krömer, 1969) findet einen entsprechenden Nährboden in Cervantes' historischer Situation.

Auch für ihn bedeutet die Heteronomie die Grunderfahrung seines Lebens, eine Erfahrung, die ihn umso schmerzlicher trifft, als er seiner Ideologie nach einem gesellschaftlich bedeutenden und die Geschicke des Landes mitbestimmenden Stande anzugehören wähnt. Doch nach dem Abschluß der reconquista und der Eroberung der überseeischen Provinzen ist das spanische Rittertum funktionslos und es verarmt im Zusammenhang mit dem wirtschaftlichen und politischen Niedergang des spanischen Königreichs zu Ende des 16. und zu Anfang des 17. Jh.s. Zwischen den Idealen der adligen Hidalgos und der Wirklichkeit hat sich ein unüberbrückbarer Graben aufgetan, für den die Geschichte der Familie des Cervantes und sein eigener Lebenslauf eindrucksvoll Zeugnis ablegen. Er wird in wesentlich unmittelbarerer Art als Bandello leibhaftig in die turbulenten Ereignisse seiner Zeit verwickelt: als Invalide der Seeschlacht von Lepanto, als Sklave in Algier, als in undurchsichtige Geldgeschäfte verstrickter Staatsbeamter und schließlich als Gefängnisinsasse. Das Ausgeliefertsein an unkontrollierbare Mächte, die hilflose Verstrickung des Menschen in böse Zúfälle, der Zusammenbruch der gesellschaftlichen Wertvorstellungen gehört zu seiner unmittelbarsten Lebenserfahrung. Wenn Cervantes dennoch an den Idealen und Konventionen seines Standes festhält, wie etwa an der »limpieza de sangre« oder der »honra«, so kann die Versöhnung der Ideologie des Hidalgo mit der gelebten Wirklichkeit nur noch in der poetischen Fiktion oder im Wahn (»Don Quijote«, »El licenciado Vidriera«) gelingen. Andere Wege, etwa die Betätigung als handeltreibender Bürger, werden dem heruntergekommenen und verarmten Hidalgo durch das rückständige ökonomische und ideologische System in Spanien versperrt, das im Zusammenspiel mit der religiösen Repression der Gegenreformation keine fortschrittlichere Entwicklung wie etwa in England und in den Niederlanden zuläßt.

»Industria y pico« sind keine angemessenen Tugenden für einen Hidalgo, dagegen konventionell unerschütterliche Liebe und Ehre, selbst wenn sie zum tragischen Scheitern führt. Der Zwang gesellschaftlicher Konventionen bestimmt letztlich das Handeln, selbst wenn sie kurzfristig unterbrochen werden durch pikareske Abenteuer junger Adliger, die allerdings zuguterletzt wieder im Schoße geordneter Verhältnisse enden. Liebe darf sich nur in der — standesgemäßen — Ehe erfüllen, die Freiheit der Selbstbestimmung äußert sich in der freiwilligen Unterordnung unter die heteronome Konvention (P. Brockmeier, 1972).

Am »Celoso extremeño« läßt sich der Unterschied zur Welt Boccaccios ablesen: Cervantes schreibt keine Beffa über einen geglückten Ehebruch, sondern er schildert das Schicksal eines vergeblich um seine Ehre kämpfenden Ehrenmannes, dessen ganzes Leben fast wie ein Roman vor uns abrollt. Nicht die Wirksamkeit menschlichen Witzes steht im Vordergrund, sondern seine Unwirksamkeit gegenüber der göttlichen Vorsehung: sowohl die Vorsichtsmaßnahmen des Celoso werden systematisch durchkreuzt (L. Spitzer, 1931) als auch die Bemühungen der Dueña und des Loaysa schließlich um ihren Erfolg gebracht. Nachdem der Glauben an die Möglichkeit eines zielstrebigen autonomen Handelns unter dem Eindruck der historischen Situation verloren ist, bleibt dem Autor der Ausweg, das heteronome Auf und Ab des Lebens, mit all den unerwarteten Wendungen und ungeplanten Ereignissen in einer langen Kette von Episoden darzustellen. Der Autor unterstützt diesen romanhaften Charakter der Erzählung noch durch eigene Bemerkungen, Exkurse, lyrische Einlagen etc., die statt eines Rahmens die Einstellung des Autors zu den erzählten Ereignissen deutlich machen.

Da Cervantes aber im Gegensatz zu Bandello im tragischen Chaos der Realität dennoch die Ideale des Hidalgo aufrechterhält, ist er gezwungen, seine realistische Schilderung zu verbinden mit dem durch die Realität immer wieder Lügen gestraften Sieg des Ideals. Die Spannung zwischen den beiden Polen ist so groß, daß er den mit wenigen Ausnahmen von seinen Vorgängern unter den Novellenautoren erhobenen Anspruch auf Wahrheit aufgibt und sein Werk bewußt als Fiktion seines eigenen Gehirns deklariert. Das veranlaßt ihn zur Einführung märchenhafter Elemente wie redender Tiere oder glücklicher Begegnungen und Wiedererkennungen just im rechten Augenblick. Sie lassen durch ihre Unwahrscheinlichkeit hindurch deutlich die ordnende Hand des allmächtigen Autors erkennen, der die göttliche Vorsehung zur narrativen Bestätigung seiner Ideologie eingreifen läßt.

Der Autor arrangiert die Wirklichkeit wie ein Theater-Stück mit Happy-End. Er erreicht damit den gleichen Effekt wie etwa Straparola mit dem Märchen, allerdings mit dem Unterschied, daß er bis auf die Lösung eine realistische Handlung beibehält, die es ihm erlaubt, die Probleme seiner Zeit wahrheitsgetreu darzustellen und trotzdem seine Ideale nicht aufzugeben. An die Stelle der übernatürlichen Helfer im Märchen tritt der allmächtige Autor-Regisseur, der die Elemente realer gesellschaftlicher Konflikte zwar bis zu einem kritischen Punkt aufbaut, der zu guter Letzt aber die himmlische Gerechtigkeit in Gestalt hochwohlgeborner Damen und Herren die Scheuermagd oder die Zigeunerin in ein adliges Fräulein, den verkleideten Wasserträger und Eseltreiber wieder in adlige Jünglinge verwandelt oder im rechten Augenblick die »fuerza de sangre« sprechen läßt.

Cervantes idealisiert die Wirklichkeit nicht mehr wie früher im Schäferroman »Galatea« (1585), sondern er ›durchschaut‹ sie mit den Augen seiner christlich-monarchischen Weltanschauung: »infunde sentido a la realidad, la cual sin él es únicamente plebeyez, pecado y dolor« (»Er gibt der Realität Sinn, einer Realität, die ohne diesen Sinn nur Gemeinheit, Sünde und Schmerz ist.«) (J. Casalduero, [2]1962, S. 22). Cervantes kann mit Hilfe seiner souveränen Strategie der Konfliktvermeidung sowohl vor den Augen der Inquisition bestehen als auch die kritische Funktion eines ›aufgeklärten‹ erasmischen Humanismus (A. Castro, [2]1972) erfüllen.

Mit welchem Recht nennt nun Cervantes seine Novellen exemplarisch? Daß es keine Musternovellen, d. h. literarische Bauanleitungen sein sollen, dürfte nach dem Hohn des ›Coloquio‹ über Dichtungsrezepte sicher sein. Auch die moralische Beispielhaftigkeit kann das eigentlich Neue an seinen Novellen nicht sein, denn sie hat auf der iberischen Halbinsel eine ununterbrochene, von einer rigorosen Zensur geforderte und geförderte Tradition (W. Pabst, [2]1967, S. 99—114), die sich auch im erbaulichen Werk des Portugiesen Gonçalo Fernández Trancoso (»Historias de proveito e exemplo«, 1575; ed. M. Menéndez y Pelayo, [2]1923) und vor allem in den vielen angeblich aufs Exemplarische hin bearbeiteten Übersetzungen aus dem Italienischen manifestiert, bei denen abgesehen vom Ausmerzen der gröbsten Obszönitäten allerdings meist Etikettenschwindel betrieben wird.

Die *neue* Beispielhaftigkeit der »Novelas ejemplares« kann also weder ausschließlich auf dem Gebiet der Moral, noch auf dem der Poetik liegen, sie gründet sich vielmehr auf eine adäquate und vollkommene ästhetische Verbindung der beiden Bereiche.

In der seitherigen Novellistik war die Moral, d. h. das Wertsystem auf das sich der Autor bezog, strukturell dem Rahmen zugeordnet, der versuchte, die Realitätspartikel in Form von Novellen zu ordnen, zu harmonisieren und in einem ideologischen Zusammenhang zu deuten. Cervantes integriert die ordnende Funktion des Rahmens in die Novellen selbst, indem er realistische Schilderung im Detail mit einer Handlungsführung verknüpft, die die Realität in eine versöhnende, märchenhafte Struktur einbettet, die die realen Konflikte der Wertsysteme — oft durch eine Media-in-res-Technik vorgeführt — als Scheinkonflikte entlarvt oder den Konflikten einfach aus dem Weg geht (M. Olsen, 1976, S. 264—277). Er stellt damit die Freiheit des Künstlers unter Beweis, der zwar nicht in der Wirklichkeit seines Lebens, jedoch in seinen Schöpfungen frei (L. Rosales, 1960) und autonom schaltet und waltet. Spricht man daher vom Realismus bzw. von der Märchenhaftigkcit des Cervantes, so gilt es zu beachten, daß seine Erzählungen realistische Elemente ideal strukturieren. Die ästhetische Meisterung dieser Spannung zwischen Ideal und Wirklichkeit ist das wahrhaft Exemplarische an den »Novelas ejemplare«.

5. Zusammenfassung

Im Verlauf der Untersuchung wurden verschiedene Momente der historischen und sozialen Entwicklung der romanischen Länder, ihrer politischen und ökonomischen Ordnung, des Bewußtseins der Novellenschreiber und der von ihnen repräsentierten Schicht auf der einen Seite und der ihnen auf der anderen Seite zugeordneten Novellenform beschrieben. Das Verhältnis der beiden Bereiche, des historischen Kontexts und der ästhetischen Form, gestaltete sich immer weniger unvermittelt je gefestigter und kanonisierter die literarischen Traditionen im Bereich der Novellistik waren.

Der hier untersuchten Periode der romanischen Novellistik geht diejenige des fest in christliche Kirche und feudale Standesgesellschaft eingebundenen Menschen des Mittelalters voraus, für den sich die Erscheinungen der Realität in das allgemein verbindliche und anerkannte christlich-feudale Weltbild einordneten. Den adäquaten strukturellen Ausdruck dieses Seins- und Bewußtseinsstandes stellt das Exemplum dar, indem es in seiner minimalen narrativen Ausgestaltung dem Erzählten kein Eigeninteresse, sondern nur Verweischarakter auf die Heilsordnung zubilligt. Es wurde sowohl wegen seiner Wichtigkeit als Stoff-Quelle als auch aus Gründen der systematischen Klarheit unter den sogenannten Vorläufern der Novelle gleichsam als Vergleichspunkt und kontrastiver Hintergrund ausgewählt, auf dem sich die Eigenart der Novelle besonders deutlich abhebt.

Die Auflösung dieses geschlossenen Weltbildes zugunsten autonomer Auseinandersetzungen des einzelnen Individuums mit der Realität geht besonders im Norden Italiens Hand in Hand mit der kommunalen Selbstverwaltung, der Durchlässigkeit der Standesgrenzen und der Entstehung neuer moralischer Normen. Dadurch bekommt das Verhältnis des Einzelnen zur Wirklichkeit, sein Ringen mit ihr und sein schließlicher Sieg über sie, ein eigenes erzählerisches Gewicht in der Schwank-Novelle. Die Exemplarität der Geschichten ist nicht mehr selbstverständlich gewährleistet, da die Novellen als ›einmalige Ereignisse‹ gestaltet sind. Zu ihrer Einordnung in ein ideologisches System bedarf es daher spezieller, zusätzlicher Erzählelemente: der Rahmen versucht autonom eine neue, auf Selbstverantwortung gegründete Ordnung zu erstellen bzw. die bestehende heteronome Ordnung in die Fiktion zu übertragen; unterstützt wird er in seiner Funktion durch Tagesthemen, Argumenti, angehängte Moral, Kommentare etc. Konnte die Beffa als Ausdruck autonomen Selbstbewußtseins bei gleichzeitig institutionell gesicherter oder utopisch vorweggenommener Autonomie gedeutet werden, so galt das Motto als Hinweis auf intellektuelles Selbstbewußtsein bei faktischer Heteronomie.

Die Reaktion auf dem politischen und religiösen Sektor schafft durch die Refeudalisierung und die Gegenreformation oberflächlich wieder eine allgemeingültige Ordnung, doch ist durch die vorausgegangenen tiefgreifenden politischen und geistigen Erschütterungen die Abhängigkeit dieser Ordnung von den Zeitumständen und Machtkonstellationen so offenbar geworden, daß ihre Verbindlichkeit prekär bleibt.

Auf diese Situation reagieren die Autoren mit verschiedenen Veränderungen ihrer Erzählstruktur:

— Sie versuchen angesichts einer chaotischen Realität in einem traktatähnlich bis essayistisch wuchernden Rahmen ein ideologisches System aus unzusammenhängenden Realitätspartikeln zu zimmern, die strukturell wieder zu Beispielen, nun aber der Unordnung, geschrumpft sind.

— Sie akzeptieren zwar vordergründig die offizielle staatliche und kirchliche Ideologie, sind sich aber auf Grund ihrer Realitätserfahrung ihrer Sache so wenig sicher, daß sie den Zufall in ihren Abenteuer-Novellen keinem eindeutigen Wertsystem entsprechend, aber ausgesprochen menschenfeindlich wirken lassen. So sehen sich die Autoren gezwungen, jede Geschichte einzeln zu rechtfertigen (Widmungsschreiben statt Rahmenerzählung) oder sich auf die Wiedergabe des abenteuerlichen Chaos zu beschränken (Wegfall jeglicher Art von Rahmen; Prodigien).

— Als letzte Ausflucht bietet sich das Märchen als literarischer Freiraum an, der es erlaubt, die Realität transzendierend zu korrigieren und so die Illusion von Ordnung aufrechtzuerhalten.

Erst Cervantes gelingt es, die exemplarische, ideale Ordnung amalgamiert mit realistischer Schilderung in die neue Form »exemplarischer Novellen« zu gießen, Ideal und Wirklichkeit zu verschmelzen, so die ursprüngliche Widersprüchlichkeit von Exempel und Novelle für kurze Zeit zu überwinden und den Weg zum Roman zu ebnen.

6. Bibliographie

Anthologien

Italien:

Borlenghi, A. (Hg.): Novelle del Quattrocento, Milano 1962.
–: Novellieri italiani del Trecento, Milano 1966.
Guglielminetti, M. (Hg.): Novellieri del Cinquecento, Bd. I, Milano/Napoli 1972 (La letteratura italiana, Storia e Testi, 24,1).
Lo Nigro, S. (Hg.): ›Novellino‹ e Conti del Duecento, Torino 1968.
Malato, E. (Hg.): I novellieri italiani, Roma 1971 ff. (ersch. Bd. 9: G. Sercambi; Bd. 10: G. Gherardi da Prato; Bd. 25: A. Firenzuola; Bd. 27: A. Grazzini).
Poggiali, G. (Hg.): Raccolta di novellieri italiani, Londra, s. a. (tatsächlich: Livorno) 1791–1796.
Raccolta di novellieri italiani, Firenze, Barghi, 1832/34.
Raccolta di novellieri italiani, Torino, Pomba, 1853.
Salinari, G. (Hg.): Novelle del Cinquecento, 2 Bde, Torino 1955.
Varese, C. (Hg.): Prosatori volgari del Quattrocento, Milano/Napoli 1955 (La letteratura italiana, Storia e Testi, 14).

Frankreich:

Lacroix, P. (Hg.): Les vieux conteurs français. Revus et corrigés sur les éditions originales ... par Paul L. Jacob [P. Lacroix], Bibliophile – Les Cent Nouvelles nouvelles – Les contes ou les nouvelles récréations et joyeux devis – L'Heptaméron – Le Printemps d'Yver, Paris 1841 (repr. Genf 1971) (Le Panthéon littéraire, Litt. française).
Jourda, P. (Hg.): Conteurs français du XVIe siècle. Textes présentés e annotés par P. J., Paris 1965 (Bibl. de la Pléiade, 167).
(darin: Les Cent Nouvelles nouvelles, B. Des Périers, Noël du Fail ›Propos rustiques‹, ›Baliverneries‹, M. de Navarre ›L'Heptaméron‹, J. Yver ›Le Printemps‹ (Ausz.), B. Poissenot ›L'Esté‹ (Ausz.).

Spanien:

Cotarelo y Mori E. (Hg.): Colección selecta de antiguas novelas españolas. Con introducción y notas, 12 Bde, Madrid 1906–1909 (darin: Autoren nach Cervantes).
Novelistas anteriores a Cervantes, publ. por B. C. Aribau, Madrid 1849 (Biblioteca de Autores Españoles, 3) (letzte Aufl. 1963).
Menéndez y Pelayo, M. (Hg.): Origines de la Novela, 4 Bde, Madrid 1905/15 (*Nueva Bibl. de Autores Españoles* 1, 7, 14, 21); Neuaufl. durch E. Sánchez Reyes, 4 Bde, Madrid ²1961 (M. M. y P., Obras completas, Ed. nacional, 13–16).

Primärliteratur

(Übersetzungen ohne Anspruch auf Vollständigkeit)

Arlotto Mainardi: Motti e facezie del Piovano Arlotto a cura di G. Folena, Milano/Napoli 1954.
–: Die Schwänke und Schnurren des Parrers Arlotto, dt. v. A. Wesselski, Berlin 1910.
Bandello, Matteo: Tutte le opere a cura di F. Flora, 2 Bde., Milano ⁴1966 (Class. Mondadori).
–: Histoires tragiques extraictes des oeuvres italiennes de Bandel & mises en nostre langue Françoise par Pierre Boaistuau surnommé Launay, Paris 1559.
–: Continuation des histoires tragiques ... par François de Belleforest Commingeois, Paris 1559.
–: Le Second [-Septième] Tome des Histoires tragiques ..., Paris 1566 ff.
–: The French Bandello. A Selection. The original Text of Four of Belleforest's Histoirs tragiques ... ed. ... by F. S. Hook, Columbia 1948 (The Univ. of Missouri Studies, vol. 22, 1).
–: Historias tragicas exemplares sacadas de las obras del Bandello Verones. Nueuamente traduzidas de las que en lengua Francesa adornaron Pierres Bouistau, y Francisco de Belleforet ..., Salamanca 1589.
–: Die Novellen, dt. von H. Floerke, München 1920.
Bargagli, Scipione: I Trattenimenti, Venezia 1587.
Basile, Giambattista: Lo Cunto de li cunti ovvero lo trattenemiento de' Peccerille de Gian Alessio Abbattutis, Napoli 1634–1636.
–: B. Croce, Lo cunto de li cunti di G. B., testo conforme a la prima stampa del 1634–6, con introduzione e note. Napoli 1891 (Teil ausgabe).
–: Il Pentamerone ossia La Fiaba delle fiabe tradotta dall' antico dialetto napoletano e corredata di note storiche da B. Croce, 3 Bde., Bari 1974.
–: Das Märchen aller Märchen oder: Das Pentameron. Unter Zugrundelegung der Übers. von F. Liebrecht neu bearb. v. H. Floerke, 2 Bde., München 1909 (Perlen älterer romanischer Prosa, 13/14).
Bergier, Jean: Discours modernes et facecieux ..., Lynon 1572.
Béroalde de Verville: Le Moyen de parvenir. Ed. par C. Royer, 2 Bde., Paris 1896.
–: Der Weg zum Erfolg, dt. von M. Spiro [J. Zeitler] Berlin 1914.
Boccaccio, Giovanni: Decameron a cura di Vittore Branca, Firenze 1965.
–: Decameron. Edizione critica secondo l'autografo Hamiltoniano a cura di V. Branca, Firenze 1976 (Scritt. Ital. e Testi antichi pubbl. dalla Acc. della Crusca).
–: Tutte le opere, Bd. IV: Decameron, a cura di V. Branca, Milano 1976 (Class. Mondadori).

−: Les dix journées de Jean Boccace. Trad. de Le Maçon, réimpr. par P. Lacroix, 3 Bde., Paris 1873 (Librairie des Bibliophiles).

−: Das Dekameron, dt. von A. Wesselski, Leipzig 1921 (Neudr. Frankfurt/M., 1976, 2 Bde., Insel Tb. 7/8).

Bouchet, Guillaume: Les Sérées de Guillaume Bouchet . . . avec notice et index par C. E. Roybet [C. Royer = E. Courbet], 6 Bde., Paris 1873–1882 (repr. 1969).

Castiglione, Baldassare: Opere. A cura di C. Cordié. Milano/Napoli 1960 (La Lett. ital., Storia e Testi, 27.)

Cent Nouvelles nouvelles: Publ. par P. Champion, 2 Bde., Paris 1928 (Doc. art. du XVe siècle, 5).

−: S. Anthologie P. Jourda (Hg. 1965), S. 1–358.

−: Edition critique par F. P. Sweetser, Genf 1966 (Textes litt. français, 127).

−: S. *La Motte Roullant,* 1549.

−: Die hundert neuen Novellen, übers. und eingel. von A. Semerau, München 1965.

Cervantes Saavedra, Miguel de: Novelas ejemplares. Ed. y notas de F. Rodriguez Marín, 2 Bde., Madrid 1915 (Clás. Cast.)

−: Obras completas, publ. por R. Schevill y A. Bonilla, Bde. 10–12: Novelas exemplares, Madrid 1922–1925.

−: Obras completas. Recopilación, estudio preliminar, prólogos y notas por A. Valbuena Prat. Madrid 1970.

−: Gesamtausgabe in vier Bänden, Bd. I: Exemplarische Novellen . . ., hg. und neu übers. von A. M. Rothbauer, Stuttgart 1963.

Chappuys, Gabriel: Les facetieuses journees . . ., Paris 1584.

Cholières, [Jean Dagoneau] Seigneur de: Oeuvres du Seigneur de Cholières. Ed. préparée par E. Tricotel. Notes, index et glossaire par D. Jouaust. Préf. par P. Lacroix, 2 Bde., Paris 1879 (repr. 1969).

Cinthio degli Fabrizii, A.: Libro della Origine delli volgari proverbi di Aloyse Cynthio, delli Fabritii . . . Venedig 1526.

Comptes du Monde Adventureux: Les Comptes du Monde Adventureux. Texte original avec notice, notes et index par F. Frank, 2 Bde., Paris 1878 (repr. 1969).

Cornazano, Antonio: Proverbi di messer Antonio Cornazano in facetie, Bologna 1865 (Scelta di curiosità . . ., 62).

−: Die Sprichwortnovellen des Placentiners Antonio Cornazano, zum ersten Mal verdeutscht von A. Wesselski, München 1906 (Perlen, 4) (Neuausg. Hanau 1967).

Da Porto, Luigi: Historia novellamente ritrovata di due nobili amanti, s. Anthol. G. Salinari (Hg. 1955) Bd. I.

Des Périers, Bonaventure: Nouvelles Récréations et Joyeux Devis, s. Anthologie P. Jourda (Hg. 1965), S. 359–594 .

−: Die neuen Schwänke und lustigen Unterhaltungen, gefolgt von der Weltbimmel [›Cymbalum Mundi‹]. Zum ersten Mal aus dem

Frz. übers. und eingel. von H. Floerke, 2 Bde, München 1910 (Perlen, 16, 17).

Du Fail, Noël: s. *Fail, Noël du.*

Erizzo, Sebastiano: Le sei giornate di messer S. Erizzo, in: Novellieri minori del' 500 a cura di G. Gigli e F. Nicolini, Bari 1912 (Scritt. d'Italia).

Eslava, Antonio de: Noches de invierno. Prólogo de L. M. Gonzáles Palencia, Madrid 1942 (Col. Literaria SAETA, 5).

Estienne, Henri: Apologie pour Herodote, Satire de la société au XVIe siècle. Nouv. éd. ... par P. Ristelhuber, 2 Bde., Paris 1879 (repr. 1969).

Fail, Noël du: Oeuvres facétieuses de Noël du Fail ... par J. Assézat, 2 Bde., Paris 1874 (Bibl. Elz.).

–: Propos rustiques, Baliverneries, s. Anthol. P. Jourda (Hg. 1965).

Firenzuola, Agnolo: Le Novelle. A cura di Eugenio Ragni, Roma 1971 (I novellieri italiani, 25).

–: Novellen und Gespräche, übers. eingel. und erläutert von A. Wesselski, München 1910 (Perlen, 10).

Flore, Jeanne: Comptes amoureux par Madame Jeanne Flore. Réimpr. textuelle de l'éd. de Lyon 1574, avec notice bibliogr. par le Bibliophile Jacob [P. Lacroix], Turin 1870 (Raretés bibliogr.) (repr. 1971).

Forteguerri, Giovanni: Novelle edite e inedite, Bologna 1882 (Scelta di curiositá ..., 191).

Giovanni Fiorentino, Ser: Il Pecorone ... a cura di E. Esposito, Ravenna 1974 (Class. Ital. minori, 1).

–: Die fünfzig Novellen des Pecorone, München 1921 (Perlen 30, 31).

Giraldi Cinthio, Giovan Battista: Gli Hecatommithi, Firenze 1833 (Racc. di novellieri italiani, 2).

–: Primera parte de las Cien Novelas de M. Iuan Babtista Giraldo Cinthio: ... Trad. de su lengua Toscana por Luys Gáytan de Vozmediano, Toledo 1590.

Grazzini, Antonfrancesco detto il Lasca: Le cene a cura di R. Bruscagli, Roma 1976 (I novellieri italiani, 27).

–: Die Nachtmähler und andere Novellen. Zum ersten Mal vollst. ins Dt. übertragen v. H. Floerke, München 1912 (Perlen, 18).

Habanc, Verité: Nouvelles histoires tant tragiques que comique ..., Paris 1585.

Joyeuses Adventures: Les joyeuses adventures et plaisant facetieux deuiz ..., Lyon 1555.

Joyeuses Narrations: Les joyeuses narrations advenues de nostre temps ..., Lyon 1557.

Juan Manuel, Don: El Conde Lucanor o libro de los enxiemplos del Conde Lucanor e de Patronio, Ed. introd. y notas de J. Manuel Blecua, Madrid 1969 (Clásicos Castalia, 9).

–: Der Graf von Lucanor. In der Eichendorffschen Übertragung hg. von A. Steiger, Zürich 1944 (Artemis-Bibl., Kleinode der span. Lit.).

La Motte Roullant: Les Fascetieux devitz des cent novvelles novvelles ... veuz et remis en leur naturel, par le seigneur de La Motte-Roullant ..., Paris 1549.

La Sale, Antoine de: s. *Cent Nouvelles nouvelles.*

Lucas Hidalgo, Gaspar de: Diálogos de apacible entretenimiento ..., in: Curiosidades bibliográficas. Col. escogida de obras raras ... por Adolfo de Castro, Madrid 1871 (zuletzt 1950) (BAE 36).

Machiavelli, Niccoló: Belfagor arcidiavolo, in: N. M., Opere, a cura di M. Bonfantini, Milano/Napoli 1954, S. 1035–1044.

Malespini, Celio: Duecento Novelle, Venezia 1599.

Marguerite de Navarre: Histoires des amans fortunez ... par P. Boaistuau, Paris 1558.

–: L'Heptaméron des nouvelles de Marguerite de Valois, royne de Navarre, remis en son ordre, confus auparavant en sa première impression, par Claude Gruget, Paris 1559.

–: s. Anthol. P. Jourda (Hg. 1965), S. 699–1131.

–: Das Heptameron. Vollst. Ausg., aus dem Frz. übertr. von W. Widmer, mit einem Nachwort von P. Amelung ..., München 1960.

Masuccio Salernitano: Il Novellino. Repr. a cura di Salvatore S. Nigro, Bari 1975 (BSJ, 3).

–: Il Novellino con appendice di prosatori napoletani del '400. [F. del Tuppo ›La vita d'Esopo‹; Loise de Rosa ›Cronache e Ricordi‹] a cura di G. Petrocchi, Firenze 1957 (Class. Ital.).

–: Der Novellino. Zum ersten Mal vollst. ins Dt. übertr. von H. Floerke, 2 Bde., München 1918 (Perlen 25, 26).

Mexía, Pero: Silua de varia lecion ..., Antwerpen 1564.

–: Sylva variarum lectionum. Das ist: Historischer Geschicht-, Natur- und Wunder-Wald ..., Nürnberg 1669.

Mey, Sebastián: Fabulario. In: Menéndez y Pelayo (Hg.), Bd. 4 (1915), S. 124–148.

Montaigne, Michel de: Essais. Texte établi et annoté par A. Thibaudet, Paris 1958 (Bibl. de la Pléiade, 14).

Morlini, Girolamo: Hieronimi Morlini Parthenopei Novellae, Fabulae, Comoedia, éd. E. F. Corpet, Paris ³1855.

–: Die Novellen, dt. von A. Wesselski, München 1908 (Perlen, 7).

Nicolas de Troyes: Le grand Parangon ... par E. Mabille, Bruxelles 1866.

–: Le grand Parangon ... par E. Mabille, Paris 1869 (Bibl. Elz.).

–: Le Grand parangon des nouvelles nouvelles (Choix), Ed. crit. avec introd. et notes par K. Kasprzyk, Paris 1970 (STFM).

–: Der große Prüfstein der neuen Novellen. Aus dem älteren Frz. übertr. und mit einem Vorwort vers. v. P. Hansmann, München 1914 (Perlen, 21).

Nouvelles de Sens: E. Langlois. Nouvelles françaises inédites du quinzième siècle, Paris 1908 (Bibl. du XVe siècle, 5).

Novella del Grasso Legnaiuolo: s. Anthol. A. Borlenghi (Hg. 1962), S. 337–389.

Novellino: Il Novellino, testo critico, introd. e note a cura di G. Favati, Genova 1970 (Studi e testi romanzi e mediolatini, 1).

–: Die hundert alten Erzählungen. Dt. v. J. Ulrich, Leipzig 1905 (Roman. Meistererzähler, 1).

Parabosco, Girolamo: I Diporti, in: Novellieri minori del '500 a cura di G. Gigli e F. Nicolini, Bari 1912 (Scritt. d'Itlia).

Parangon: Le Parangon des nouvelles honnestes et délectables ... par E. Mabille, Paris 1865.

Petrus Alfonsi: Die Disciplina clericalis des Petrus Alfonsi. Das älteste Novellenbuch des Mittelalters ... herausgegeben von A. Hilka und W. Söderhjelm, Heidelberg 1911 (Slg. mlat. Texte, 1).

–: Petri Alfonsi Disciplina clericalis, ed. A. Hilka und W. Söderhjelm, 3 Bde., Helsingfors 1911–1922 (Acta Soc. Scient. Fennicae, XXXVIII, 4 und 5; XLIX, 4).

Philippe le Picard: Philippe d'Alcripe, Sieur de Neri en Verbos [le Picard, Sieur de rien en bourse], La nouvelle fabrique des excellens traits de verité ... Nouv. édition, revue avec soin ... Par [Gratet-Duplessis], Paris 1853 (Bibl. Elz.).

Philippe de Vigneulles: Les Cent Nouvelles nouvelles. Ed. avec une introduction et des notes par Ch. Livingston, Genf 1972 (Trav. d'Humanisme et de Renaissance, CXX).

Poggius Bracciolini: Liber Facetiarum, in: P. B., Opera omnia, T. I, con una premessa di R. Fubini, Turin 1964 (Monumenta politica et philosophica rariora ..., curante L. Firpo, series 2, No. 6).

–: Les facecies de Poge ... [übers. von G. Tardif], Paris [vor 1496].

–: Les facecies de Poge ... nouvellement imprimées, Paris 1549.

–: Die Facezien des Florentiners Poggio. Übers. und eingel. von H. Floerke, München 1906 (Neuausg. Hanau 1967).

Poissenot, Bénigne: L'Esté ..., Paris 1583.

–; s. Anthol. P. Jourda (Hg. 1965) Auszüge.

–: Nouvelles histoires tragiques, Paris 1586.

Pontanus, Giovanni: De sermone, a cura di S. Lupi e A. Risicato, Lucani 1954.

Recueil: Recueil des plaisantes et facétieuses nouvelles recueilles de plusieurs auteurs, Antwerpen 1555.

–: Recueil ... Lyon 1555.

Romannet du Cros: Du Roc Sort Manne, Nouveaux recits ou comptes moralisez, Paris 1573.

Rufo, Juan: Las seiscientas apotegmas y otras obras en versos. Ed., prólogo y notas de A. Blecua, Madrid 1972 (Clás. Castell., 170).

Sabadino degli Arienti: Le Porretane. A cura die G. Gambarin, Bari 1914 (Scritt. d'Italia, 66).

Sacchetti, Franco: Il Trecentonovelle. A cura di E. Faccioli, Torino 1970 (Nuova Universale Einaudi, 111).

135

–: Novellen. Aus dem Ital. übers. und eingel. v. H. Floerke, 2 Bde., München 1907 (Perlen 2, 3).

Santa Cruz, Melchior de: Floresta española (1574) ..., Madrid 1953 (Soc. de Biblióg. Esp.).

Sansovino, Francesco: Cento Novelle de'più nobili scrittori ..., Venezia 1561.

Sercambi, Giovanni: Novelle inedite di G. Sercambi ... a cura di R. Renier, Torino 1889.

–: Novelle. A cura di G. Sinicropi, 2 Bde., Bari 1972 (Scritt. d'Italia, 250/1).

–: Il Novelliere a cura di L. Rossi, 3 Bde., Roma 1975 (I novellieri italiani 9).

Straparola, Giovan Francesco: Le piacevoli notti. A cura di G. Rua, Bari 1927.

–: Le piacevoli notti. A cura di M. P. Stocchi, 2 Bde., Bari 1975, (BSI, 7/8).

–: Premier livre des facétieuses nuicts ... trad. par J. Louveau, Lyon 1560.

–: Honesto y agradable entretenimiento de damas y galanes. Compuesto por el Senor Ioan Francisco Caruacho ... trad ... por Francisco Truchado, Granada 1583.

–: Die ergötzlichen Nächte. Aus dem Ital. übers. und eingel. v. H. Floerke, 2 Bde., München 1908 (Perlen 8,9).

Tabourot, Etienne, Seigneur des Accords: Les Bigarrures du seigneur des Accords, avec les Apophtègmes du sieur Goulard et les Escraignes dijonnoisses, éd. par G. Colletet, 3 Bde., Bruxelles 1866 (repr. 1969).

Tahureau, Jacques: S. M. Gauna, A study of the ›Dialogues‹ of J. Tahureau, with an edition of the text. Thèse, London 1968 f.

Timoneda, Juan: El Sobremesa y alivio de caminantes,
   : ed. B. C. Aribau, in: Novelistas anteriores a Cervantes, Madrid 1849 (BAE, 3) S. 169–183.

–: El Buen aviso y portacuentos,
   : ed. R. Schevill, in: Révue hisp. 24 (1911), S. 171 ff.

–: El Patrañuelo. Edición, prólogo y notas de F. Ruiz Morcuende, Madrid 1949 (Clás. Cast. 101).

Torquemada, Antonio: Coloquios satíricos, in: M. Menéndez y Pelayo (Hg.), Bd. 2 (1907), S. 485–581.

–: Jardín de flores curiosas ..., ed. Amezúa y Mayo, Madrid 1943 (Bibliof. Esp.)

–: Hexameron oder Sechs-Tage-Zeiten ... [dt. Übers. des Jardín], Cassel 1652.

Trancoso, Gonçalo Fernandez: Historias de proveito e exemplo, ed. M. Menéndez y Pelayo, Paris ²1923. (Antol. Port.)

Tuppo, Francesco del: s. Masuccio Salernitano, ed. G. Petrocchi.

Verville, Béroalde de: s. Béroalde de Verville.

Yver, Jacques: s. Anthologie P. Lacroix (Hg. 1841).

–: Auszüge s. Anthol. *P. Jourda* (Hg. 1965).
Villani, Giovanni: Croniche di Giovanni, Matteo e Filippo Villani secondo le migliori stampe ... Bd. I, Triest 1857.

Sekundärliteratur

Aarne, A./Thompson, S.: The Types of the Folktale, Helsinki ²1961 (FFC, No. 184).

Ageno, F.: Ispirazione proverbiale del ›Trecentonovelle‹, in: Lettere italiane 10, 1958, S. 288–305.

Althusser, L.: Marxisme et Humanisme, in: L. A., Pour Marx, Paris 1965, S. 238–242.

Amezúa y Mayo, A. G. de: Cervantes, creador de la novela corta española. Introd. a la ed. crítica y comentada de las ›Novelas ejemplares‹, Tomo I, II, Madrid 1956/1958 (Clásicos Hispánicos II, Ediciones anotadas, vol. I, II).

Asor Rosa, A.: La Novella Occidentale dalle origini a oggi, 2 Bde., Roma 1960.

Auerbach, E.: Zur Technik der Frührenaissancenovelle in Italien und Frankreich, Heidelberg 1921, ²1971.

–: Frate Alberto, in: E. A., Mimesis. Dargestellte Wirklichkeit in der abendländischen Literatur, Bern/München 1946, ⁴1967, S. 195–221.

Ayerbe-Chaux, R.: ›El Conde Lucanor‹. Materia tradicional y originalidad creadora, Madrid 1975.

Baker, M. J.: Didacticism and the ›Heptaméron‹. The misinterpretation of the tenth tale as an Exemplum, in: French Revue (Special Issue) 3, 1971, S. 84–90.

Bàrberi-Squarotti, G.: Problemi di tecnica narrativa cinquecentesca: lo Straparola, in: Sigma 5, 1965, S. 84–108, dt. in: W. Eitel (Hg. 1977).

–: La ›cornice‹ del ›Decameron‹ o il mito di Robinson, in: Da Dante al Novecento. Studi critici offerti ... a G. Getto. Milano, 1970, S. 111–158.

Barthes, R.: Introduction à l'analyse structurale des récits, in: Communications 8, 1966, S. 1–27.

Battaglia, S.: Contributi alla storia della novellistica, Napoli 1947.

–: Premesse per una valutazione del ›Novellino‹, in: Filologia romanza 2, 1955, S. 259–286 = in: S. B., G. Boccaccio e la riforma della narrativa, Napoli 1969, S. 83–118.

–: Dall' esempio alla novella, in: Filologia Romanza 7, 1960, S. 22–84 = in: S. B., G. Boccaccio e la riforma della narrativa, Napoli 1969, S. 21–81.

–: L'ingresso dell' irrazionale nelle novelle di M. Bandello, in: S. B. Mitografia del personaggio, Milano ²1968, S. 134–139.

–: Carattere paradigmatico e qualità realistiche dell'esempio medievale, in: S. B., G. B. e la riforma della narrativa. Napoli 1969, S. 1–19.

Baudoux-Spinette, A.: La notion de motif en littérature. Méthodologie et index des motifs du Decameron. Thèse, Univ. Cath. de Louvain 1976 (dact.).

Bausinger, H.: Schwank und Witz, in: Studium Generale, 11, 1955, S. 699–710.

Bec, C.: Les marchands écrivains à Florence 1375–1434. Paris/La Haye 1967 (Civilisations et Sociétés, 9).

Benveniste, E.: Les relations de temps dans le verbe français, in: E. B., Problèmes de linguistique générale, Paris 1966 (Bibl. des Sciences humaines), S. 237–257.

Benzoni, G.: Venezia nell'età della controriforma. Milano 1973.

Besthorn, R.: Ursprung und Eigenart der älteren it. Novelle. Halle 1935 (Rom. Arbeiten, 24).

Boggs, R. S.: Index of Spanish Folktales Helsinki 1930 (FFC 90).

Boillet, D.: L'usage circonspect de la ›beffa‹ dans le ›Novellino‹ de Masuccio Salernitano, in: A. Rochon (Hg.) 1975, S. 65–169.

Bolte, J.: Les Joyeuses Adventures. Ein französisches Schwankbuch des 16. Jh.s, in: Archiv f. d. Studium der neuern Sprachen und Litt. 150, 1926, S. 220–227.

Borlenghi, A.: Le questioni delle morali nel »Trecentonovelle«, in: Studi Urbinati 27, 1953. N. S. B., No. 2, S. 73–111.

Bourland, C.: Boccaccio and the Decameron in Castilian and Catalan Literature, in: Révue hispanique 12, 1905, S. 1–232.

–: The Short Story in Spain in the Seventeenth Century. With a bibliography of the novela from 1576 to 1700. Northampton, Mass. 1927.

Branca, V.: Linee di una storia della critica al ›Decameron‹, con bibliografia boccaccesca. Mailand 1939.

–: Boccaccio Medievale, Firenze 1956.

–: Tradizione delle opere di G. Boccaccio. Roma 1958.

–: (Hg.): Studi sul Boccaccio, Firenze Bd. 1 ff., 1963 ff.

Brockmeier, P.: Lust und Herrschaft. Studien über gesellschaftliche Aspekte der Novellistik: Boccaccio, Sacchetti, Margarete von Navarra, Cervantes. Stuttgart 1972.

–: Geistesgegenwart und Angstbereitschaft. Zur Funktion des ›subito‹ in Boccaccios Novellen, in: P. B. (Hg. 1974), S. 369–382.

: (Hg). Boccaccios Decameron, Darmstadt 1974 (WdF CCCXXIV).

Bürger, P.: Ideologiekritik und Literaturwissenschaft in: P. B. (Hg.), Vom Ästhetizismus zum Nouveau Roman, Versuche kritischer Literaturwissenschaft, Frankfurt 1975 (FAT 2090).

Burckhardt, J.: Die Kultur der Renaissance in Italien s. l., 1956 (Erstausg. 1860).

Cahiers de l'AIEF: La Nouvelle en France jusqu'au XVIIIe siècle, Paris 1966.

Calmette, J.: Die großen Herzöge von Burgund, München 1963.

Caretti, L.: Saggio sul Sacchetti, Bari 1951.

Casalduero, J.: Sentido y forma de las ›Novelas Ejemplares‹, Madrid

²1962 (1. Ausg. Buenos Aires, 1943) (Bibl. Romanica Hispanica, Abtlg. II: Estudios y ensayos, 57).

Castro, A.: El pensamiento de Cervantes, Bardelona/Madrid ²1972 (1. Aufl. 1925).

–: Hacia Cervantes, Madrid ²1960.

Champion, P.: Einleitung zu der Ausg. der ›Cent Nouvelles nouvelles‹, Paris 1928.

Childers, J. W.: Motif-Index of the Cuentos of Juan Timoneda, Bloomington 1948.

Choptrayanovitch, G.: Etienne Tabourot des Accords (1549–1590). Etude sur sa vie et son oeuvre litt., Thèse Dijon 1935 (repr. 1969).

Cioffari, V.: The conception of Fortune in the ›Decameron‹, in: Italica 17, 1940, S. 129–137 = dt. in: P. Brockmeier (Hg. 1974), S. 232–243.

Clément, L.: Henri Estienne et son oeuvre française. Thèse Paris 1899 (repr. Genf 1967) S. 79–106 (Etude d'hist. litt. et de philologie).

Clouzot, H.: Le ›Printemps‹ d'Yver (1572), in: RSS 18, 1931, S. 104–129.

Croce, B.: Giambattista Basile e il ›Cunto de li cunti‹, (1890) in: B. C., Saggi sulla letteratura italiana del Seicento, Bari ⁴1962, S. 1–105 (Scritti di storia lett. e pol., 1).

–: Storia del regno di Napoli, Bari 1925.

Curtius, E. R.: Europäische Literatur und lateinisches Mittelalter, Bern/München ⁸1973.

D'Aronco, G.: Indice delle Fiabe Toscane. Prefazione di Vittorio Santoli, Firenze 1953 (Biblioteca dell' »Archivum Romanum« Serie I: Storia-Letteratura-Paleografia, Vol. 36).

Davidssohn, R.: Geschichte von Florenz , Berlin, 4 Bde., 1896–1927.

De Filippis, M.: Straparola's Riddles, in: Italica 24, 1947, S. 134–136.

De Jongh, W. F. J.: A Bibliography of the Novel and Short Story in French. From the Beginning of Printing till 1600, Univ. of New Mexico Press 1944 (Bibliographical Series I, 1).

Delarue, P.: Le conte populaire français. Bd. I., Paris 1957 (ab Bd. II ff., Paris 1964 ff. zusammen mit M.-L. Tenèze).

Devoto, D.: Introducción al estudio de Don Juan Manuel ... Una Bibliografía, Madrid 1971.

Di Francia, L.: Franco Sacchetti novelliere, Pisa 1902.

–: Novellistica, 2 Bde., Milano 1924 f.

Drake, D. B.: Cervantes: a Bibliography. Vol. I: The Novelas ejemplares, Blacksburg, Virginia 1968.

Dubuis, R.: Les Cent Nouvelles nouvelles et la tradition de la nouvelle en France au Moyen Age, Grenoble 1973 (Coll. Theta).

Eitel, W. (Hg.): Die romanische Novelle, Darmstadt 1977 (Ars interpretandi).

Elias, N.: Die höfische Gesellschaft. Untersuchungen zur Soziologie des Königtums und der höfischen Aristokratie mit einer Einleitung: Soziologie und Geschichtswissenschaft, Neuwied 1969 (Soziol. Texte, 54).

Esposito, E.: Boccacciana. Bibliografia delle edizioni e degli scritti critici (1939–1974). Con la collaborazione di C. Kleinhenz, Ravenna 1974 (Bibliografia e storia della critica, 2).

Febvre, L.: Autour de l'Heptaméron. Amour sacré, amour profane, Paris 1944 (repr. 1971).

Ferrier, J. M.: Forerunners of the French Novel. An Essay on the Development of the Nouvelle in the late Middle Ages, Manchester Univ. Press, 1954.

Fiorato, A.: La ›beffa‹ chez M. Bandello, in: A. Rochon (Hg. 1972), S. 121–165.

–: Bandello et le règne du père, in: A. Rochon (Hg. 1973), S. 77–154.

Fontes-Barrato, A.: Le thème de la ›beffa‹ dans le ›Décaméron‹, in: A. Rochon (Hg. 1972), S. 11–44.

Frappier, J.: La Chastelaine de Vergi, Marguerite de Navarre et Bandello, in: Publ. de la Fac. des Lettres de l'Univ. de Strasbourg, Fasc. 105, Mélanges 1945, II: Etudes littéraires, Paris 1946, S. 89 bis 150.

Freud, S.: Der Witz und seine Beziehung zum Unbewußten (1905), in: S. F., Studienausgabe, Bd. IV, Frankfurt 1970, S. 9–219.

Galigani, G. (Hg.): Il Boccaccio nella cultura inglese e anglo-americana, Firenze 1974.

Godenne, R.: La nouvelle française, Paris 1974 (Coll. SUP, litt. mod. 3).

Graedel, L.: La cornice nelle raccolte novellistiche del Rinascimento italiano e i rapporti con la cornice del Decameron (Diss. Bern) Firenze 1959.

Gramsci, A.: Gli intellettuali e l'organizzazione della cultura, Torino 1949.

Greimas, A. J.: Sémantique structurale, Paris 1966.

Griffith, T. G.: Bandello's Fiction. An examination of the ›Novelle‹, Oxford 1955.

Hainsworth, G.: Les ›Novelas exemplares‹ de Cervantès en France au XVIIe s., Contr. à l'ét. de la nouv. en France. Thèse, Paris 1933.

Hassel, J. W.: Sources and Analogues of the ›Nouvelles Récréations‹ of B. Des Périers, Bd. 1, Chapel Hill 1957 (Univ. of North Carolina Studies in Comp. Literature, 20); Bd. 2, Athens 1969 (Univ. of Georgia Press).

Heller, H.: Marguerite de Navarre and the reformers of Meaux, in: BHR 23, 1971, S. 271–310.

Heyse, P.: Einleitung zu: ›Deutscher Novellenschatz‹, hg. von P. Heyse und H. Kurz, München o. J. [1871], Bd. 1, V–XXIV.

Horkheimer, M.: Montaigne und die Funktion des Skepsis, in: Zeitschrift für Sozialforschung 7, 1938, S. 1 ff. = in: M. Horkheimer, Kritische Theorie, Frankfurt/M. ²1972, Bd. 2, S. 201–259.

Horne, P. R.: Reformation and Counter-Reformations of Ferrara: Antonio Musa Brasavola and Giambattista Cinthio Giraldi, in: Italian Studies 13, 1958.

Huizinga, J.: Herbst des Mittelalters. Studien über Lebens- und Geistesformen des 14. u. 15. Jh. in Frankreich und in den Niederlanden. Hg. von Kurt Köster, Stuttgart 1961.

Jauss, H. R.: Theorie der Gattungen und Literatur des Mittelalters, in: H. R. J. (Hg.) GRLMA I, Heidelberg 1972, S. 107–138.

Jolles, A.: Einleitung zu: ›Das Dekameron‹. Dt. von A. Wesselski, Leipzig, Insel. Neudruck Frankfurt/M. 1976, 2 Bde., Bd. I, S. VII–LXXXVII [zuerst 1921].

–: Einfache Formen. Legende, Sage, Mythe, Rätsel, Spruch, Kasus, Memorable, Märchen, Witz, Tübingen, ⁵1974 [zuerst 1930].

Jourda, P.: Marguerite d'Angoulême, Duchesse d'Alençon, Reine de Navarre (1492–1549). Etude biographique et litt., 2 Bde., Paris, 1930 (Bibl. litt. de la Renaissance XIX, XX).

–: Préface zu: P. J. (Hg. 1965) Les conteurs français du XVIe siècle, Paris 1965, S. IX–XLVIII.

Kasprzyk, K.: Nicolas de Troyes et le genre narratif en France au XVIe s., Warschau/Paris 1963.

Keller, J. E.: Motif-Index of Mediaeval Spanish Exempla, Knoxville 1949.

Kern, E. G.: The Gardens in the ›Decameron‹ Cornice, in: PMLA 46, 1951, S. 505–523, = dt. in: P. Brockmeier (Hg. 1974), S. 244–270.

Klöne, U.: Die Aufnahme des Märchens in der italienischen Kunstprosa von Straparola bis Basile, Diss. Marburg 1961.

Köhler, E.: Ideal und Wirklichkeit in der höfischen Epik. Studien zur Form der frühen Artus- und Graldichtung, Tübingen ²1970 (Beih. zur ZRPh, 97).

–: Der literarische Zufall, das Mögliche und die Notwendigkeit, München 1973.

–: Einige Thesen zur Literatursoziologie, in: GRM, NF 24, 1974, S. 257–264.

Krauss, W.: Novela-Novelle-Roman, in: ZRPh 60, 1940, S. 16–28 — in: J. Kunz (Hg. 1968), S. 222–238.

–: Cervantes und der span. Weg der Novelle, in: W. K. , Studien und Aufsätze, Berlin (Neue Beiträge zur Lit.-wiss. 8) S. 93–138 = in: W. K., Perspektiven und Probleme, Berlin, 1959, S. 44–120.

–: Miguel de Cervantes. Leben und Werk, Neuwied/Berlin 1966.

Krömer, W.: Gattung und Wort ›novela‹ im spanischen 17. Jh., in: Roman. Forschungen 81, 1969, S. 381–434.

–: Kurzerzählungen und Novellen in den romanischen Literaturen bis 1700, Berlin 1973 (Grundlagen der Romanistik, 3).

141

Kunz, J.: Novelle, Darmstadt 1968, ²1973 (Wege der Forschung, 55).

Lajarte, P. de: L'Heptaméron et le ficinisme. Rapports d'un texte et d'une idéologie, in: Revue des Sciences hum. 37, 1972, S. 339–371. L'Heptaméron et la naissance du récit moderne. Essai sur la lecture épistémologique d'un discours narratif, in: Littérature 5, 1975, H. 17, S. 31–42.

Landau, M.: Die Quellen des Dekameron, Stuttgart ²1884.

Lebatteux, G.: La crise de la ›beffa‹ dans les ›Diporti‹ et les ›Ecatommiti‹, in: A. Rochon (Hg. 1972), S. 179–201.

Lebègue, R.: Réalisme et apprêt dans la langue des personnages de l'Heptaméron, in: R. L., La littérature narrative d'imagination, Paris 1961, S. 73–86.

Lee, A. C.: The Decameron. Its Sources and Analogues, London 1909.

Leube, E.: Boccaccio und die europäische Novellendichtung, in: Neues Handbuch der Literaturwissenschaft, hg. von A. Buck, Frankfurt/M. 1972, S. 128–161.

Liebe, I.: Gianfrancesco Straparolas ›Piacevoli Notti‹ und seine französischen Prosabearbeitungen, Diss. Berlin 1948.

Löhmann, O.: Die Rahmenerzählung des Dekameron, ihre Quellen und Nachwirkungen. Ein Beitrag zur Gesch. der Rahmenerzählung, Halle 1935 (Roman. Arbeiten, 22).

Lo Nigro, S.: Per il testo del ›Novellino‹, in: Giornale storico della lett. it. 141, 1964, S. 51–102.

Loviot, L.: Le mytérieux seigneur de Cholières, in: Revue des livres anciens 1, 1913, S. 37–49.

–: Les ›Cent Nouvelles nouvelles‹ adaptées par La Motte Roullant (1549), in: Revue des livres anciens 1, 1914, S. 254–263 [= 1914 a].

–: Le conteur Bénigne Poissenot, in: Revue des livres anciens 1, 1914, S. 285–295 [= 1914 b].

Lupi, S.: Il ›De Sermone‹ di Giovano Pontano, in: Filologia Romanza, 1955, S. 366–417.

Macherey, P.: Pour une théorie de la production littéraire. Paris 1971.

Marchesi, G. B.: Per la storia della novella italiana nel secolo XVII. Roma 1897.

Marietti, M.: La ›beffa‹ dans les ›Trecentonovelle‹, in: *A. Rochon* (Hg., 1975), S. 9–63.

Mauro, A.: Per la biografia di Masuccio Salernitano, Napoli 1926.

Mazzacurati, G.: La narrativa di G. F. Straparola: Sociologia e struttura del protagonista fiabesco, in: Studi mediolatini e volgari, 17, 1969, S. 49–88.

–: Società e strutture narrative (dal Trecento al Cinquecento) 1971.

Menéndez y Pelayo, M.: Orígines de la Novela. S. Anthologien.

Miccoli, G.: La storia religiosa, in: Storia d'Italia, II, 1, Torino 1974, S. 431–1079.

Motte, A.: Le thème della ›beffa‹ dans les ›Piacevoli Notti‹ de

Giovanfrancesco Straparola, in: A. Rochon (Hg. 1972), S. 167–177.

Neuschäfer, H. J.: Boccaccio und der Beginn der Novelle. Strukturen der Kurzerzählung auf der Schwelle zwischen Mittelalter und Neuzeit, München 1969 (Theorie und Gesch. der Lit. und der Schönen Künste, Texte und Abhandlungen, Bd. 8).

Olivier-Martin, F.: Noël du Fail et le rôle social de la noblesse, in: Mémoires de la soc. d'hist. et d'archéol. de Bretagne 8, 1927.

Olsen, M.: Structure de la nouvelle des Fabliaux à la Renaissance. Essai d'une typologie, in: Actes du 5e Congrès des romanistes scandinaves, Turku 1973, S. 137–147.

–: Les Transformations du Triangle Erotique, Kopenhagen 1976.

Pabst, W.: Die Theorie der Novelle in Deutschland (1920–1940), in: Roman. Jahrbuch 2 (1949), S. 81–124 = in: J. Kunz (Hg. 1968), S. 243–287.

–: Novellentheorie und Novellendichtung. Zur Geschichte ihrer Antinomie in den romanischen Literaturen, Heidelberg ²1967.

Padoan, G.: Mondo aristocratico e comunale nell'ideologia e nell'arte di Giovanni Boccaccio, in: Studi sul Boccaccio 2, 1964, S. 81–216 = dt. Ausz. in: P. Brockmeier (Hg. 1974), S. 148–190.

Palermo, J.: L'historicité des devisants de l'›Heptaméron‹, in: RHLF 69, 1969, S. 193–202.

Pallister, J. L.: The world view of Béroalde de Verville (expressed through satirical baroque style in ›Le moyen de parvenir‹), Paris 1971 (Coll. ›De Pétrarque à Descartes‹, 23).

Paris, G.: La nouvelle en France au XVe et XVIe siècles, in: Journal des Savants 60, 1895, S. 289–303, 342–361 = in: G. P., Mélanges de litt. française du Moyen Age, ed. par M. Roques, Paris 1912, S. 627–677.

Passano, G.: I Novellieri italiani in versi, Bologna 1868.

–: I Novellieri italiani in prosa, Torino ²1878 (repr. 1965).

Pastore, R.: Per una interpretazione del ›Novellino‹ di Masuccio Salernitano, in: Cultura neolatina 29, 1969, S. 235–265.

Pellegrini, C. (Hg): Il Boccaccio nella cultura francese, Firenze 1971.

Pérouse, G. A.: Les ›Comptes du Monde Adventureux‹ et le roman de ›Jehan de Saintré‹, in: BHR, Trav. et Documents 30, 1968, S. 457–469.

Petrocchi, G.: La prima redazione del ›Novellino‹ di Masuccio, in: Giorn. stor. della lett. it. 129, 1952, S. 266–317.

–: Bandello, l'artista e il novelliere. Firenze 1949.

–: Masuccio Guardati e la narrativa napoletana del Quattrocento. Firenze 1953.

Philipot, E.: La vie et l'ouevre littéraire de Noël du Fail, gentilhomme breton. Paris 1914.

Picot, E.: Les Français italianisants au XVIe siècle, 2 Bde., Paris 1906 f.

Pirenne, H.: Histoire de Belgique, Bd. II: Du commencement du XIVe siècle à la mort de Charles le Téméraire, Bruxelles ⁴1947.

Place, E. B.: Manual elemental de novelística espanola. Bosquejo histórico de la novela corta y el cuento ...desde los principios hasta 1700, Madrid 1926 (Bibl. esp. de divulgación cientifica, VII).

Plaisance, M.: La structure de la ›beffa‹ dans les ›Cene‹ d'Antonfrancesco Grazzini, in: A. Rochon (Hg. 1972), S. 45–97.

Plattard, J.: Les récréations littéraires d'un juge consul de Poitiers en 1584: les ›Sérées‹ de G. Bouchet, Poitiers 1928.

Porcelli, B.: Novellieri italiani. Dal Sacchetti al Basile, Ravenna 1969 (Il Portico, 24).

Procacci, G.: Classi sociali e monarchia assoluta nella Francia della prima metà del secolo XVI, Torino 1955 (Studi e ricerche, 1).

Propp, V.: Morphologie du conte, Paris 1970 (Coll. Points).

Pruvost, R.: Matteo Bandello and Elizabethan fiction, Paris 1937 (Bibl. de la Rev. de litt. comp., 113).

Rabinowitz, S.: Guillaume Bouchet, ein Beitrag zur Geschichte der franz. Novelle, Diss. Leipzig 1910.

Ramat, R.: Indicazioni per una letteratura del ›Decameron‹, in: R. R., Saggi sul Rinascimento, Firenze 1969, S. 33–49.

Ranke, K. (Hg.): Enzyklopädie des Märchens. Handwörterbuch zur historischen und vergleichenden Erzählforschung, Belin 1975 ff.

Rasmussen, J.: La prose narrative française du XVe siècle. Etude esthétique et stylistique, Kopenhagen 1958.

Raymond, M.: Anthologie de la nouvelle française. Avec une introduction sur l'histoire et la poétique de la nouvelle, Lausanne 1950.

Redenbacher, F.: Die Novellistik der französischen Hochrenaissance, in: ZfSL 49, 1926, S. 1–72.

Reiche, H.: ›Le Moyen de parvenir‹ von Béroalde de Verville mit besonderer Berücksichtigung der Quellen und Verfasserfrage, Diss. Leipzig, Coburg 1913.

Riley, E. C.: Cervantes's Theory of the Novel, Oxford 1962.

Riley E. C. und *Avalle-Arce J. B.* (Hg.): Suma Cervantina, London 1973.

Robert, P.: Le Petit Robert. Dictionnaire alphabétique & analogique de la langue française, Paris 1967.

Rochon, A. (Hg.): Formes et significations de la ›beffa‹ dans la littérature italienne de la Renaissance, Série 1 und 2, Paris 1972 u. 75 (Publ. du Centre de Recherche sur la Renaissance Italienne, 1 u. 4).

–: Les écrivains et le pouvoir en Italie à l'époque de la Renaissance, Série 1 und 2, Paris 1973 u. 1974 (Publ. du CRRI, 2 und 3).

–: Une date importante dans l'histoire de la ›beffa‹: La nouvelle du ›Grasso Legnaiuolo‹, in: A. R. (Hg. 1975), S. 211–376.

Rodolico, N.: La democrazia fiorentina nel suo tramonto (1378–1382), Bologna 1905.

–: I Ciompi. Una pagina di storia del proletariato operaio. Firenze 1971.

Rosales, L.: Cervantes y la libertad, 2 Bde., Madrid 1960.

Rotunda, D. P.: Motif-Index of the Italian Novella in Prose, Bloomington, Indiana 1942 (Ind. Univ. Publ., Folklore Ser. 2).

Rua, G.: Tra antiche fiabe e novelle: I, Le ›Piacevoli Notti‹ di Messer Gian Francesco Straparola. Ricerche. Roma 1898.

Russo, V.: La tradizione retorica nel ›Novellino‹, in: Filologia romanza 6, 1959, S. 401–422.

–: Ser Giovanni Fiorentino e Giovanni Sercambi, in: Belfagor 11, 1956, S. 489–504.

Santoro, M.: L'invasione francese e il tema della fortuna, in: M. S., Fortuna, ragione e prudenza ..., Napoli 1967, S. 11–21 [= 1967 a].

–: L'irrazionale nel territorio dell'umano: Bandello, in: M. S. Fortuna ..., Napoli, 1967, S. 359–409 [= 1967 b].

Saulnier, V. L.: Etude sur Béroalde de Verville. Introduction à la lecture du ›Moyen de parvenir‹, in: BHR 5, 1944, S. 209–326.

–: Martin Pontus et Marguerite de Navarre. La réforme lyonnaise et les sources de l'›Heptaméron‹, in: BHR 21, 1959, S. 577–592.

Schalk, F.: Bandello und die Novellistik der italienischen Renaissance, in: Roman. Forschungen 85, 1973, S. 96–118.

Schenda, R.: Philippe le Picard und seine ›Nouvelle Fabrique‹. Eine Studie zur französischen Wunderliteratur. in: ZfSL 68, 1958, S. 43–61.

–: Die französische Prodigienliteratur in der zweiten Hälfte des 16. Jahrhunderts, Diss. München 1961 (Münchner Roman. Arbeiten, 16).

–: Stand auf Aufgaben der Exemplaforschung, in: Fabula 10, 1969, S. 69–85.

Schmidt, A.-M.: Histoires tragiques, in: A.-M. S., Etudes sur le XVIe siècle, Paris, 1967, S. 247–260.

See, H.: Histoire économique de la France, Bd. I, Paris 1948.

Segebrecht, W.: Geselligkeit und Gesellschaft. Überlegungen zur Situation des Erzählens im geselligen Rahmen, in: GRM 25, 1975, S. 306–322.

Segre, C.: Tendenze stilistiche nella sintassi del ›Trecentonovelle‹ in: Archivio glottologico italiano 37, 1952, S. 1–41 = in: C. S. (1963), S. 301–340.

–: Morelli, le ›Facezie‹ del Piovano Arlotto e Masuccio, in: Itinerarî 5, 1957, S. 29–35, 246–252 = in: C. S. (1963), S. 341–353.

–: Lingua, stile e società. Studi sulla storia della prosa italiana, Milano 1963.

–: Decostruzione e ricostruzione di un racconto (dalla ›Mort le roi Artu‹ al ›Novellino‹) in: C. S. (1974), S. 79–86 [= 1971 a].

–: Funzioni, opposizioni e simmetrie nella giornata VII del ›Decameron‹, in: Studi sul Boccaccio 6, 1971, S. 81–108 [= 1971 b].

–: Comicità strutturale nella novella di Alatiel, in: C. S. (1974), S. 145–160 [= 1974 a].

–: Le strutture e il tempo, Turin 1974.

Sestan, E.: Il Comune nel Trecento, in: Libera cattedra di storia della civiltà fiorentina. Il Trecento, Firenze, 1953, S. 21–38.

Simonin, M.: Notes sur P. Boaistuau, in: BHR 38, 1976, S. 323–333.

Söderhjelm, W.: La nouvelle française au XVe siècle, Paris 1910 (Bibl. du XVe siècle, 12).

Soons, A.: The facetia in the works of Tabourot des Accord, in: Fabula 12, 1971, S. 179–188.

Sozzi, L.: Les Contes de Bonaventure Des Périers. Contribution à l'étude de la nouvelle française de la Renaissance, Turin 1964 (Univ. di Torino, Pubbl. della Fac. di Lett. e Filosofia, 16, fasc. 2).

–: Le ›Facezie‹ di Poggio nel Quattrocento Francese, in: Miscellanea di studi e ricerche sul Quattrocento francese a cura di F. Simone, Torino, 1966, S. 409–516.

–: La nouvelle française au XVe siècle, in: Cahiers de l'AIEF 23, 1971, S. 67–84.

–: Tendances politiques et sociales chez les conteurs du XVIe siècle, in: Atti del Convegno su: Culture et politique en France à l'époque de l'Humanisme et de la Renaissance. Torino, 1972, S. 249–268.

Spitzer, L.: Marie de France, Dichterin von Problemmärchen, in: ZRPh 50, 1930, S. 29–67.

–: Das Gefüge einer cervantinischen Novelle: El celoso extremeño, in: L. S., Roman. Stil- und Literaturstudien, Bd. 2, Marburg 1931, S. 141–180 = in: W. Eitel (Hg. 1977), S. 175–213.

Stierle, K.: Geschichte als Exemplum – Exemplum als Geschichte. Zur Pragmatik und Poetik narrativer Texte, in: R. Koselleck/W.-D. Stempel (Hg.), Geschichte – Ereignis und Erzählung, München 1973 (Poetik und Hermeneutik, 6), S. 347–375.

Stone, D.: Belleforest's Bandello: A bibliographical study, in: BHR 34, 1972, S. 489–499.

–: Narrative Technique in ›L'Heptaméron‹, in: Studi Francesi 11, 1967, S. 473–476.

Strassner, E.: Schwank, Stuttgart 1968 (Sammlung Metzler, 77).

Striedter, J. (Hg.): Russischer Formalismus. Texte zur allg. Literaturtheorie und zur Theorie der Prosa. Herausgegeben und eingeleitet von J. S., München, 2 Bde., 1969 (Theorie und Gesch. der Literatur und der Schönen Künste); zit. nach der Ausg. München 1971 (UTB 40).

Sturel, R.: Bandello en France au XVIe siècle, in: Bull. italien 13 (1913), S. 210–227; 14 (1914), S. 29–53, 211–235, 300–325.

Tabacco, G.: La storia politica e sociale dal tramonto dell'Impero alle prime formazioni di Stati regionali, in: Storia d'Italia, Bd. II, 1, Torino 1974, S. 3–274.

Tetel, M.: Marguerite de Navarre et Montaigne. Relativisme et paradoxe, in: From Marot to Montaigne, ed. by R. C. La Charité, Lexington 1972 (Kentucky Romance Quarterly 19, Suppl. 1) S. 125–135.

Thompson, S.: Motif-Index of Folk-Literature, 6 Bde, Kopenhagen ²1955–58.

Tiemann, H.: Die Entstehung der mittelalterlichen Novelle in Frankreich, Hamburg 1961 (Schriftenreihe zur europ. Integration. Sonderdr.).

Tismar, J.: Kunstmärchen, Stuttgart 1977 (Sammlung Metzler, 155).

Todorov, T.: Grammaire du Decaméron, The Hague 1969 (Approaches to semiotics, 3).

Toldo, P.: Contributo allo studio della novella francese del XV e XVI secolo considerata specialmente nelle sue attinenze con la letteratura italiana. Les Cent Nouvelles nouvelles. L'Heptaméron. Les Comptes du Monde adventureux. Le Grand Parangon des Nouvelles nouvelles. Les Joyeux Devis. Roma 1895.

Tubach, F. C.: Index Exemplorum. A handbook of mediaeval religious tales. Helsinki 1969 (FFC, 204).

Vivanti, C.: La storia politica e sociale. Dall'avvento delle signorie all'Italia spagnola, in: Storia d'Italia, Bd. II, 1. Torino 1974, S. 275–427.

Vollert, L.: Zur Geschichte der lateinischen Facetiensammlungen des XV und XVI Jahrhunderts. Berlin 1912.

Vossler, K.: Zu den Anfängen der französischen Novelle in: K. V., Studien zur Vergleichenden Litteraturgeschichte, Bd. 2, hg. von M. Koch, Berlin 1902, S. 3–36.

Walser, E.: Poggius Florentinus. Leben und Werk, Leipzig/Berlin 1914.

Weber, H.: La facétie et le bon mot du Pogge à Des Périers, in: Humanism in France at the end of the Middle Ages and the early Renaissance, Manchester, New York, 1970, S. 82–105.

Weinrich, H.: Besprochene und erzählte Welt, Stuttgart ²1971.

Wellek, A.: Zur Theorie und Phänomenologie des Witzes in: Studium generale 2, 1949, S. 171–182.

Wetzel, H. H.: Märchen in den französischen Novellensammlungen der Renaissance, Berlin 1974.

Wiese, B. von: Novelle, Stuttgart ⁶1975 (Sammlung Metzler, 27).

Woledge, B.: Bibliographie des Romans et Nouvelles en prose française antérieurs à 1500. Genf 1954 (Soc. de Publ. romanes et françaises, 42).

–: Supplément à la Bibliographie . . ., Genf 1974.

REGISTER